HEYNE
BÜCHER

D0974559

In der Serie HEYNE-ANTIQUITÄTENBÜCHER sind außerdem erschienen:

Möbelstilkunde · 4324
Porzellan · 4340
Zinn · 4358
Gläser · 4370
Bauernmöbel · 4391
Englische Möbel · 4400
Jugendstil · 4409
Silber · 4414
Teppiche · 4428
Faustfeuerwaffen · 4436
Spielzeug · 4440
Art Déco · 4445
Uhren · 4448
Afrikanische Kunst · 4454
Gewehre · 4463
Antiquitäten als Kapitalanlage · 4467
Deutsche Möbel des Barock und Rokoko · 4469
Netsuke · 4474
Gründerzeit · 4479
Münzen des Mittelalters und der Neuzeit · 4485
Böhmische Gläser · 4492
Schmuck · 4501
Alter Hausrat · 4507
Antike Kleinkunst · 4516
Gobelins · 4523
Biedermeier · 4530
Antiquitäten als Hobby · 4538
Deutsche Fayencen · 4545
Chinesisches Porzellan · 4552
Asiatica · 4565
Asiatica · 4569
Meißner Porzellan · 4577
Lampen 1890–1930 · 4581
Französische Möbel · 4586
Münzen des Altertums · 4596
Englische Kleinkunst · 4610
Küchengeräte · 4616
Thonet-Möbel · 4634
Deutsche Orden · 4641
Medaillen · 4647
Englisches Silber · 4672
Einführung in die Antiquitätenkunde · 4675
Jade · 4678
Dekor. Graphik · 4705
Alte Bücher · 4713
Jugendstil Art Déco, Bd. 1, Möbel und Interieur · 4731
Jugendstil Art Déco, Bd. 2, Glas und Keramik · 4732
Jugendstil Art Déco, Bd. 3 Schmuck- und Metallarbeiten · 4733
Jugendstil Art Déco, Bd. 4, Malerei und Graphik · 4734
Ikonen · 4747
Dosen · 4755
Puppen · 4767
Parfumflacons und Riechfläschchen · 4780
Deutsche Militaria · 4788
Altes Spielzeug, Bd. 1, Begehrte Sammlerstücke aus zwei Jahrhunderten · 4840
Altes Spielzeug, Bd. 2, Eisenbahnen und Zubehör · 4841
Altes Spielzeug, Bd. 3, Puppen · 4842
Altes Spielzeug, Bd. 4, Puppen-Zubehör · 4843
Stühle und andere Sitzmöbel · 4859

HEINZ E. R. MARTIN

CHINESISCHE TEPPICHE

Mit 115 Abbildungen

Originalausgabe

WILHELM HEYNE VERLAG
MÜNCHEN

HEYNE-BUCH Nr. 4878
im Wilhelm Heyne Verlag, München

Wir danken der Firma L. Bernheimer KG, München
für die freundliche Unterstützung bei der Innenbebilderung und der Gestaltung des Umschlags.

Printed in Germany 1982
Umschlaggestaltung: Atelier Heinrichs & Schütz, München
Layout: Helmut Burgstaller, München
Satz: IBV Lichtsatz KG, Berlin
Druck und Bindung: RMO-Druck, München

ISBN 3-453-41511-6

Inhaltsverzeichnis

Vorbemerkung

Zur Transkription der chinesischen und tibetischen Namen und Begriffe

Die Umschrift erfolgt nach der Transkription von Wade-Giles, die in der Literatur und im Teppichhandel allgemein benutzt wird. In Klammern ist, soweit bekannt, die Umschreibung genannt, die nach dem Pinyin- oder New Latin-System von der Volksrepublik China mit Hilfe des lateinischen Alphabetes entwickelt wurde.

Einleitung

In der Vielfalt der orientalischen Knüpfteppiche nehmen die Erzeugnisse Asiens eine Sonderstellung ein. Sie sind dem klassischen Orientteppich nur bedingt zuzuordnen; die Gemeinsamkeit besteht allein darin, daß es sich um Knüpfarbeiten handelt, die sich der gleichen Ausgangsmaterialien bedienen. Wolle und Seide dienen der Herstellung der Teppiche, deren Knüpfung sich aber, zumindest teilweise, von der des orientalischen Teppichs unterscheidet. Unverkennbar sind die Teppiche Asiens in ihrer Mustergestaltung; durch sie grenzen sie sich deutlich von den Erzeugnissen des Vorderen Orients ab (Tafel 1). China und Tibet entwickelten Muster und Farbkompositionen, die sich auf dem künstlerischen und religiösen Empfinden beider Völker aufbauten. Die Brücke vom orientalischen zum asiatischen Teppich schlagen die Grenzvölker. In ihren Knüpfarbeiten treten die kulturellen Einflüsse des Vorderen Orients und Chinas zutage. Die Mehrzahl dieser Arbeiten ist aber stärker von chinesischen Einflüssen geprägt, sie dem Komplex der chinesischen Teppiche zuzuordnen.

Zum Verständnis der Teppiche Asiens ist es notwendig, sich mit der Lebensform dieser Völker vertraut zu machen. Sie war seit frühester Zeit eine andere, als die der Bewohner des Vorderen Orients. In den orientalischen Ländern stellte die seßhafte Bevölkerung eine Minderheit dar; die Mehrzahl der Stämme befand sich mit ihren Viehherden auf einer ständigen Wanderung von einem Weideplatz zum nächsten. Die Nomaden bestimmten weitgehend die kulturelle Entwicklung, die in einer ihnen eigenen Kunst ihren Ausdruck fand. Auch als Teile dieser Völker seß-

haft wurden, blieben die künstlerischen Ausdrucksformen ihren Ursprüngen weitgehend verbunden.
Bestimmend für die Mustergestaltung des orientalischen Teppichs wurden zwei Faktoren: Die Landschaft, in der diese Völker lebten, und der Glaube. Ein Leben in Zelten in einer von Kargheit bestimmten Natur, ausgesetzt den Unbillen der Witterung, ließ den Wunsch nach einer Umgebung entstehen, die Wärme, Geborgenheit und Schönheit vereint. Ursprünglich war es das Tierfell, das diese Ansprüche erfüllte. Die Wollgewinnung aus Tierhaaren und die zu den frühen Erfindungen der Menschheit gehörende Knüpftechnik, der später die Erfindung des Webrahmens folgte, ließen vor allem die Völker des Orients zu Künstlern werden, die sich dieser Technik bedienten. Aufbauend auf einfachen Mustern entstanden bald Knüpfereien, die ein Spiegel der realen und der Vorstellungswelt wurden. Die Sehnsucht nach blühenden Gärten fand in den Teppichmustern ihren Ausdruck, sei es in gegenständlichen oder stilisierten Formen. Geometrische Muster traten als Ergänzung hinzu, bei vielen Nomadenstämmen wurden sie zu einem Stammeszeichen, das abgrenzte und erkennbar machte.
Im Vorderen Orient war der Teppich, neben transportablen Truhen, Ersatz für Liegestatt und Stuhl. Er war flexibel, also leicht transportierbar; aufgerollt schuf er die gewünschte Wohnform, die ein Zelt ermöglichte. Neben Bodenteppichen, Sitzkissen und Zeltbehängen gab es geknüpfte Taschen, Satteldecken und Schmuckbänder.
Ein wesentlicher Faktor bestimmte die Mustergestaltung des reinen Orientteppichs. Es war der islamische Glaube, der um 600 n. Chr. von Mohammed begründet wurde. Er wurde und blieb bis in die Gegenwart die zentrale Religion der Völker des Vorderen und Mittleren Orients und entwickelte eine ihm eigene Kunst, die in der Teppichknüpferei unverkennbaren Ausdruck fand. Die Glaubensgrundsätze des Islam erforderten eine Reihe täglicher Gebete in der Moschee, dem islamischen Tempel. War diese nicht erreichbar, hatte der Gläubige seine Gebete, gerichtet gen Mekka, das zentrale Heiligtum, zu verrichten. Als Ersatz

für die Moschee entstand der Gebetsteppich; er wurde später auch in der Moschee benutzt. In seiner Zeichnung zeigt er die Nische mit der Ampel. Teppiche dieser Art finden sich im ganzen Orient. Die seßhaft werdende Bevölkerung blieb den ursprünglichen Wohnformen weitgehend verbunden. Der Teppich blieb das zentrale Einrichtungsstück, das den Raum beherrschte; ergänzt wurde er nur durch eine umlaufende Bank, die mit Teppichen bedeckt wurde.
Die chinesischen Knüpfarbeiten entstanden ebenfalls als reine Gebrauchsgegenstände, in denen sich Zweckmäßigkeit mit künstlerischem Ausdruck vereinten. Die Aufgaben, die der chinesische Teppich zu erfüllen hatte, waren ebenso durch die Lebensform bedingt, wie die des orientalischen Teppichs. Diese Lebensform war aber eine völlig andere. Die Völker, die später zum chinesischen Reich zusammenwuchsen, blieben nur zum geringen Teil der nomadischen Lebensform verbunden. In den Kerngebieten des Reiches entwickelte sich sehr früh eine seßhafte Bevölkerung, die Ackerbau betrieb und in festen Wohnsitzen lebte. Es entwickelte sich sehr bald eine Wohnform, in der sich der Mensch die zu seiner Annehmlichkeit notwendigen Dinge schuf. Als Nachtlager diente ein aus Ziegeln gemauerter Ofen; Tische, Stühle und Truhen bildeten die Ausstattung der Häuser. Eine in den Städten lebende Oberschicht verfeinerte die Lebensform, was zu einer Ergänzung und Verschönerung des Mobiliars führte. Der Teppich konnte in dieser Entwicklung des menschlichen Lebensraumes nicht die Bedeutung erlangen, die ihm im Vorderen und Mittleren Orient eingeräumt wurde. Er war ein die Einrichtung des Hauses ergänzender Gebrauchsgegenstand; zum Schmuck wurde er erst in der Epoche der großen Paläste und Tempel (Abb. 1). Die Beantwortung der Frage, in welcher Epoche die ersten chinesischen Teppiche geknüpft wurden, steht noch offen. Während das Abendland bereits sehr früh mit den Knüpfarbeiten des Vorderen Orients durch Handelsbeziehungen bekannt wurde, gestalteten sich die Beziehungen zum chinesischen Reich sehr schwierig, wie ein knapper historischer Überblick beweist.

Abb. 1
Vogel-Medaillonteppich mit Blütenbordüre. Peking um 1900.
Knoten: Wolle; Kette und Schuß: Baumwolle. 345 × 278 cm.
Privatsammlung.

Bis in die Mitte des 16. Jahrhunderts hinein verschloß sich das chinesische Reich den Europäern. Die hochstehende Kultur und Zivilisation Chinas waren für das Abendland bis zu diesem Zeitpunkt nur in wenigen Teilaspekten bekannt geworden, obwohl bereits seit dem 13. Jahrhundert Handelsbeziehungen zu den östlichen Nachbarn bestanden. Das mongolische Weltreich der Yüan-Dynastie (1280–1368) entwickelte einen regen Handelsverkehr mit dem Abendland, das es vor allem mit den sehr geschätzten Brokatwebereien belieferte. In den aus der Gotik stammenden Kirchenschätzen Europas finden sich zahlreiche Webereien, die auf Ostasien als Ursprungsgebiet hinweisen. Ein Beispiel bietet die Dalmatika des Papstes Benedikt XI. (gest. 1304) in Perugia. Die spitzovalen Felder mit Lotosranken und die eingewebten schmalen vergoldeten Lederstreifen, das sogenannte Riemchengold, lassen erkennen, daß es sich bei diesem Brokat um eine chinesische Weberei handelt. Die Muster dieser Stoffe wurden zu Vorbildern der gotischen Webereien, sei es der Granatapfel, die Wolkenformation oder die Pfauen, Löwen und Drachen. In Ägypten wurden Seidenstoffe gefunden, datierbar in das 14. Jahrhundert, die bereits das eingewebte Schriftzeichen Shou (langes Leben) als Muster zeigen. Hier liegen die Anfänge jener Schriftsymbolik, die später die Muster der chinesischen Teppiche bestimmen sollten.
Im 14. Jahrhundert, der beginnenden Epoche der Ming-Dynastie (1368–1644), verstärkten sich die Handelsbeziehungen zum Vorderen Orient. Der Kaiser Hsüan-te (1426–1435) schuf eine bedeutende Handelsflotte, deren Fahrten nach Indien, Sri Lanka (Ceylon) und Arabien führten. Ein Teil dieser Schiffe segelte bis zu den Küsten Afrikas und weiter durch das Rote Meer bis zum Hafen Djedda. Er diente der Versorgung der Hauptstadt Mekka. Neben den Seidenwebereien und anderen Erzeugnissen des chinesischen Kunsthandwerks waren es jetzt vor allem die Seladon-Porzellane, die zum Hauptausfuhrartikel wurden. Seit dem 5. Jahrhundert n. Chr. kannte man in China bemalte Keramiken, deren Zusammensetzung sich inzwischen verbessert hatte. Diese geschätzten Kostbarkeiten bestanden aus einer Ton-

zusammensetzung mit einer feinen Glasur. Beides war bisher in Europa unbekannt. Im Jahre 1487 erreichten die ersten Porzellane dieser Qualität Venedig. Sie waren ein Geschenk des Sultans von Ägypten an Lorenzo di Medici. Es waren Keramiken, die in die Gruppe der Famille-rose- und der Famille-verte-Porzellane einzuordnen sind. Die gebildeten Chinesen entwickelten sich in der Ming-Zeit zu großen Kunstsammlern, die ihre Sammlungen in ausführlichen Verzeichnissen beschrieben. Einige dieser Kataloge blieben der Nachwelt erhalten. Sie führen umfangreiche Sammlungen auf, in denen aber Beschreibungen von Teppichen fehlen. Es dürfte voreilig sein, daraus den Schluß zu ziehen, daß es in jener Epoche keine Knüpfteppiche gab. Wahrscheinlicher ist es, daß man die Teppiche zu einem Bestandteil der Einrichtung zählte und sie nicht als Kunstwerke ansah. Die kostbaren Brokate, deren Entstehungszeit durch in Europa vorhandene Belegstücke gesichert ist, werden ebenfalls nicht in diesen Verzeichnissen aufgeführt, obwohl sie mit Sicherheit zur Ausstattung der Paläste gehörten. Es ist unwahrscheinlich, daß es eine hochentwickelte Weberei gab, Knüpfarbeiten aber in dieser Epoche noch unbekannt waren.
Es vergingen Jahrhunderte, in denen China seine Verschlossenheit bewahrte. Erst in der Mitte des 16. Jahrhunderts war es bereit, den Europäern das Land einen winzigen Spalt zu öffnen. Es fiel dem Abendland nicht leicht, erkennen zu müssen, daß es hier einem Kulturvolk gegenüberstand, dessen Geschichte ebensoweit in die Vergangenheit zurückreichte, wie die der großen mittelmeerischen Kulturen im Nildelta und in Mesopotamien. Es waren portugiesische Seefahrer und Missionare, die im Jahre 1557 erstmals chinesischen Boden betraten. Es waren nicht die Portugiesen, die sich diese Erlaubnis erwirkt hatten; die chinesische Regierung gab dem Drängen einiger ihrer Kaufleute nach. Diese versprachen sich eine Ausweitung der Handelsbeziehungen durch die ständige Anwesenheit einer ausländischen Vertretung, und ihre Vorstellungen sollten sich bewahrheiten.
Es wurde den Portugiesen erlaubt, gegenüber der Stadt Kanton den Hafen Macao zu begründen, der zu einem Zentrum der Chi-

na-Mission und des Handels wurde. Das vom Katholizismus geprägte Portugal verband zwei Absichten mit dieser Unternehmung: Neben der Intensivierung des Handels wollte es die Chinesen zum Christentum bekehren, wobei der letzten Aufgabe die größere Beachtung geschenkt wurde. Die Bekehrung Chinas wurde zu keinem Erfolg, wofür zwei Gründe maßgeblich waren. Die Missionare ignorierten die chinesische Kultur, sie traten den Chinesen gegenüber mit jenem Hochmut auf, den die Europäer als Umgangsform mit nichtchristlichen Völkern entwickelt hatten. Die Überlegenheit der Chinesen auf vielen Gebieten fand keinerlei Anerkennung; sie wurden zu Barbaren gestempelt, womit sich die Missionare alle Möglichkeiten eines engeren Kontaktes verbauten. Die chinesische Regierung erkannte die Absichten der Fremden sehr bald. Sie riegelte die Stadt Macao hermetisch ab und erlaubte es keinem Ausländer, über ihre Grenzen hinweg das chinesische Reich zu betreten.
Es vergingen fünfzig Jahre, bis es der christlichen Mission gelang, über Macao hinauszudringen. Zwei führende Missionare erkannten die Bedeutung der chinesischen Kultur und zollten ihr Anerkennung, die ihnen immerhin begrenzte Erfolge einbrachte. Es waren Michele Ruggieri und der Humanist Matteo Ricci. Als Ricci im Jahre 1610 starb, gab es in Peking und in anderen Städten des chinesischen Reiches Niederlassungen der Jesuiten. In Zahlen ausgedrückt, stellen sich diese Erfolge aber sehr bescheiden dar, im Vergleich zu dem Millionen zählenden Volk der Chinesen. Es waren nicht mehr als zweitausend Seelen, die man für das Christentum gewonnen hatte. Sie waren in Glaubensgemeinschaften vereint, die sich um die europäischen Niederlassungen scharten, die einzige christliche Kirche in China befand sich in Macao.
China blieb weiterhin das verschlossene Land, verstand es dabei aber mit Geschick, seine Handelsbeziehungen zu Europa und Amerika auszubauen. Es hatte erkannt, welche Wertschätzung man seiner Kunst entgegenbrachte, was bedeutete, daß bereits im 18. Jahrhundert Kunstgegenstände gefertigt wurden – und zu ihnen gehörten auch Teppiche –, die ausschließlich für den Ex-

port bestimmt waren. Mit der Weiterentwicklung der Schiffahrt vergrößerte sich das Handelsvolumen und erreichte im 18. Jahrhundert einen ersten Höhepunkt. Eine Schiffsladung folgte der anderen und brachte alle jene Waren nach Europa, die aus den Händen chinesischer Künstler und Kunsthandwerker hervorgegangen waren. Während Portugal und Spanien sich intensiver um die Gründung von Kolonien in beiden Amerika bemühten, übernahmen England und Holland die Warentransporte von China nach Europa; die englischen und holländischen Häfen wurden zu den bevorzugten Umschlagplätzen der Frachten aus Asien. Der Haupteinfuhrartikel blieb das Porzellan, obwohl es 1710 J. F. Böttger und E. W. Graf von Tschirnhausen in Meißen gelungen war, die Herstellungsformel eigenständig zu entwikkeln. Die begrenzte Herstellung europäischen Porzellans und sein im Anfang unerschwinglicher Preis für breitere Schichten schmälerte den Markt der preiswerteren chinesischen Waren nicht. Eher trat das Gegenteil ein. Mit dem Bekanntwerden des europäischen Porzellans stieg die allgemeine Nachfrage. In der Anfangszeit waren die europäischen Erzeugnisse ohnehin nicht mehr, als Nachahmungen chinesischer Vorbilder. Man entwikkelte zwar europäische Formen, doch blieb der Dekor dem chinesischen Stil eng verbunden.
Zu den Exportgütern gehörten auch chinesische Teppiche, doch dürften sie nur einen geringen Prozentsatz ausgemacht haben. Der Grund, warum diese Erzeugnisse des chinesischen Kunsthandwerks sich noch nicht der Beliebtheit erfreuten, die sie zu einem späteren Zeitpunkt erlangten, ist vielschichtig. Europa war auf den persischen Teppich fixiert, den es seit Jahrhunderten kannte. Man liebte die floralen Muster, das bewegte Farbenspiel und vor allem die feine Knüpfung und den seidigen Glanz des orientalischen Teppichs. Alle diese Merkmale wies der chinesische Bodenteppich nicht auf. Sein oft nur einfarbiger Fond, umrahmt von einer sparsamen Bordüre und seine im Vergleich zum Orientteppich grobe Knüpfung stand in so krassem Gegensatz zu dem, was man an Knüpfarbeiten kannte, daß man sich für dieses chinesische Erzeugnis nicht begeistern konnte (Abb. 2 und 3).

Abb. 2
Teppich mit Fledermausmotiven in Gelb und Rot auf rosafarbenem Grund, umrahmt von einer Mäanderbordüre auf gelbem Grund. Anfang 19. Jahrhundert. Knoten: Wolle; Kette und Schuß: Wolle. 360 × 160 cm. Privatsammlung.

Folgende Seite

Abb. 3
Peking-Teppich (Ausschnitt). 19. Jahrhundert. Knoten: Wolle; Kette und Schuß: Wolle. 260 × 160 cm. Privatbesitz.

Die ersten chinesischen Teppiche, die im kontinentalen Europa des 18. Jahrhunderts in der Innendekoration Verwendung fanden, waren Seidenteppiche. Weder waren sie als Bodenbeläge geknüpft, noch wurden sie als solche benutzt. Es waren Bildteppiche, die als Wanddekoration dienten, sie erfüllten die gleiche Aufgabe wie der Gobelin als schmückendes Wandbild (Abb. 4). Daneben eroberte aber eine zweite Teppichform Europa. Man begnügte sich nicht nur mit Einfuhr von Kleinkunst. Dieser Kunst sollte in den Schlössern ein entsprechender Rahmen gegeben werden, die Einrichtungen wurden mit Möbeln ergänzt, die aus China kamen. Zu den Möbeln gehörten die aufwendig geschnitzten Sessel, deren Sitz und Rückwand oft aus edlen Marmorplatten bestanden, was eine angenehme Benutzung nur mit einem Sitz- und Rückenpolster möglich machte. In China wur-

Abb. 4 Bildteppich mit Gebirgslandschaft.
Unterschiedliche blaue und weiße Farbtöne. Knoten: Wolle; Kette und Schuß: Wolle. 236 × 168 cm. Privatbesitz.

den seit sehr früher Zeit diese Polster mit eigens dafür angefertigten Teppichen bezogen, und mit den Sesseln kamen sie nach Europa. Damit erklärt es sich, daß sich noch in der Gegenwart oft im Teppichhandel Stuhlpolster befinden, deren Entstehungszeit in das 18. Jahrhundert datierbar ist. Chinesische Teppiche dieser Abmessung gehörten zu den frühesten Exportgütern, die Europa erreichten, und mit dem zunehmenden Interesse im 19. Jahrhundert an chinesischen Möbeln setzte sich ihre Einfuhr fort; in vielen Fällen überlebten sie das Möbelstück, dem sie einst dienten.

Die europäische Stilentwicklung des 18. Jahrhunderts wurde vom Barock und Rokoko getragen, das am Ende des Jahrhunderts vom Klassizismus abgelöst wurde. Vor allem die Zeit des Rokoko wurde von einer Chinawelle erfaßt, in der man die fremdländischen Formen entweder imitierte oder in eine europäische Geschmacksrichtung abwandelte. Angefangen mit der Baukunst bis hin zum Porzellan bediente man sich des chinesischen Vorbildes oder zumindest eines Bildes, das Europa sich von einem märchenhaften China machte, von einem China, das es weitgehend nur aus den Erzeugnissen seiner Kunst kannte. Der chinesische Teppich blieb aber weiterhin unbeachtet; er wurde nicht zu einem dekorativen Element der Raumgestaltung.

Wenn eingangs im Rahmen dieser Betrachtung vom kontinentalen Europa gesprochen wurde, so sollte England dabei ausgeklammert werden. Die englische Innenarchitektur war dem Perfektionismus immer weitergehender verhaftet, als die der anderen europäischen Länder. Die Baumeister Großbritanniens waren zugleich die Innenarchitekten der Häuser, die sie bauten. Architekten wie Robert Adam (1728–1792) erbauten Stadthäuser und Landsitze, in denen die äußere Form in vollendetem Einklang mit den Innenräumen stand. In der Raumgestaltung waren sie bemüht, diese Einheitlichkeit fortzusetzen. Auch die englischen Möbelformen des 18. und frühen 19. Jahrhunderts waren an chinesische Vorbilder angelehnt, sie nahmen vor allem die der chinesischen Kunst eigene Sparsamkeit in der Gestaltung auf

und kamen damit dem ursprünglichen chinesischen Stilempfinden am nächsten. Hier gab es, im Gegensatz zu den verspielten Formen, die kontinental entwickelt wurden, die strenge Linie und die Kunst des Weglassens. Bei dieser Gesamtentwicklung ist es nicht erstaunlich, daß es englische Architekten waren, die erstmalig die Schönheit des schlichten chinesischen Bodenteppichs erkannten und ihn in die Raumgestaltung integrierten. Das Verständnis für die großzügige und sparsame Mustergestaltung wurde durch zwei Erkenntnisse, die das Bild von der chinesischen Kultur ergänzten, gefördert. Man begann, sich intensiv mit der chinesischen Malerei zu befassen, die weitgehend ein Ausdruck des chinesischen Glaubens war. Aus dem Verständnis für die Malerei entwickelte sich das Interesse am Buddhismus, der Religion Chinas. Diese Glaubensform bestimmte weitgehend die Gestaltung der chinesischen Kunst und fand auch in den Mustern der Teppiche ihren Ausdruck.
Der Buddhismus, die von dem Inder Siddharta Gautama (550 bis um 470 v. Chr.) gestiftete Weltreligion, war in abgewandelten Formen zur Religion Chinas geworden. Sie war nicht nur das Leitbild der Lebensform, ebenso wie das Christentum entwickelte sie eine Kunst, in der sich das Denken und Wollen dieses Glaubens ausdrückte. Gegensätzlich zur Entwicklung des Abendlandes zerfiel die künstlerische Entwicklung nicht in eine religiöse und eine profane Form. Die Prinzipien des Buddhismus fanden Eingang und Ausdruck in nahezu jedweder künstlerischen Formgebung. Es war eine Religion mit einer weit gespannten Symbolik, die die Umwelt des Menschen prägte. Abgesehen von den Teppichen, die rituellen Zwecken dienten, wurden auch die Stücke des profanen Gebrauches mit Mustern geschmückt, die die Glaubenssymbolik aufnahmen.
Wie bei kaum einem anderen Volk verband sich bei den Chinesen der Glaube mit dem Aberglauben. Man war bemüht, sich ständig mit positiven, Glück verheißenden Symbolen zu umgeben, vor allem in der persönlichen Umwelt, zu der der Teppich gehörte. Indem man über die Glück verheißenden Symbole hinwegschritt, übernahm man die ihnen eigene Kraft.

Nicht weniger bedeutungsvoll für die Entwicklung der Teppichmuster Chinas war die chinesische Sprache. Ihre bildhaften Formen, die sich in einfachen, oft vieldeutigen Symbolen darstellten, boten sich ebenfalls als dekorative Elemente an, mit einem für jeden lesbaren Sinngehalt.

Aus der Unterschiedlichkeit der Glaubensformen, ebenso wie der der Sprache, werden die gegensätzlichen Entwicklungen der Knüpfereien des Vorderen Orients und Asiens verständlich. Der zu Üppigkeit und Fülle neigende Islam und der der Strenge verpflichtete Buddhismus fanden jeweils die ihnen eigenen Ausdrucksformen, die keinem Vergleich standhalten. Nicht weniger bedeutsam für die unterschiedliche Stilentwicklung waren Lebensform und Landschaft. Beide Faktoren fanden in der Kunst ihrer Völker den ihnen gemäßen Ausdruck.

Der historische Überblick zeigte, wie schwierig es für die Europäer war, in China Fuß zu fassen und Erkenntnisse über die Entwicklung des chinesischen Kunsthandwerks zu sammeln. Was für China gilt, trifft in weit höherem Maße für Tibet zu. Über die Anfänge einer Teppichproduktion weiß man bis heute noch immer sehr wenig. Sehr alte Teppiche wurden bisher nicht gefunden, doch weisen die alten bekannten Stücke eine so gute Qualität und vollendete Mustergestaltung auf, daß angenommen werden kann, es handelt sich um eine Handwerkskunst, der eine gewisse Tradition zugesprochen werden muß.

Historisch betrachtet war das zwischen Indien, Nepal, Bhutan und China gelegene Tibet über Jahrhunderte hinweg ein Staat, der politisch immer engere Beziehungen zu China als zu den übrigen Nachbarländern besaß. Nicht immer waren diese Beziehungen freiwillige, sie sind es auch in der Gegenwart nur bedingt. Tibet ist in der Gegenwart als autonome Region ein Teil der Volksrepublik China. Das einstige Oberhaupt des Staates, der Dalai Lama – er war religiöses und weltliches Oberhaupt – flüchtete vor der chinesischen Invasion nach Indien. In den letzten Jahren zeigte die chinesische Regierung zunehmendes Verständnis und bewies eine gewisse Toleranz gegenüber den Glaubens- und Lebensformen der Tibeter. Noch ist es aber ungewiß, ob der Dalai Lama als Führer seines Volkes aus dem Exil in die Heimat zurückkehren wird, und noch fraglicher ist es, welche Rechte ihm nach dieser möglichen Rückkehr eingeräumt würden.

Abgesehen von den politischen Einflüssen, die China im Laufe der Geschichte auf Tibet ausübte, bestand seit der Entwicklung des Buddhismus in Asien eine gewisse Gemeinsamkeit des Glaubens, der beide Völker, Tibeter und Chinesen, verband. In seinem Ursprungsland Indien blieb der Buddhismus nur in Form von kleinen Glaubensgemeinschaften erhalten. Indien überantwortete sich der Religion des Hinduismus und ist ihr bis in die Gegenwart verbunden geblieben. Ebenso wie China wandelte Tibet den ursprünglichen Buddhismus in eine Religion um, in der sich die Glaubensformen der vor der Entstehung des Buddhismus existenten Bon-Religion mit denen des Buddhismus verbanden. Der neue Glaube, der Lamaismus, wurde zur Volksreligion der Tibeter. Auf den Grundsätzen dieses Glaubens bauten sie einen Kirchenstaat auf, an dessen Spitze der Dalai Lama stand. Zu den geistigen Zentren des Landes wurden die Klöster; sie herrschten über ein Volk von Bauern und Nomaden. Die lamaistische Kirche mit ihrem totalen Herrschaftsanspruch prägte nicht nur das Leben des Volkes. In noch stärkerem Maße als in China entwickelte sie eine Kunst rein religiöser Prägung. Kunstzentren waren die Klöster, in denen religiöse Malereien und Plastiken von oft sehr begabten Mönchen hergestellt wurden. Ebenso wie der chinesische Buddhismus entwickelte der Lamaismus eine ihm eigene Bildersprache, die der chinesischen in vielem konträr ist. Es gibt zwar eine Gemeinsamkeit der Formen, doch dort, wo der Chinese sich in sparsamer Zeichnung ausdrückt, neigt der Tibeter weit mehr zur Fülle. Das gilt vor allem für die Farbkompositionen. In ihnen werden kräftige Töne oft hart gegeneinander gestellt; zarte Übergänge, wie sie der Chinese liebt, kennt man nicht (Abb. 5).

Kräftige und leuchtende Farben bestimmen nicht nur die religiöse tibetische Malerei, die sich fast ausschließlich im Andachtsbild des Thanka ausdrückt. Die gleichen Prinzipien fin-

Abb. 5
Tibetteppich mit den Yin-Yang-Symbolen. 19. Jahrhundert. Knoten: Wolle; Kette und Schuß: Wolle. 275 × 175 cm. Privatbesitz.

den in der tibetischen Teppichknüpferei Verwendung. Sie gehört, klammert man die Herstellung profaner Gegenstände aus, zu den wenigen kunsthandwerklichen Arbeiten, die außerhalb der Klöster entstanden. Das Teppichknüpfen war und ist die Domäne der tibetischen Frau. Es gibt kaum eine Tibeterin, die von ihrer Mutter nicht mit der Handfertigkeit des Knüpfens vertraut gemacht wurde. Hier gelten ähnliche Bedingungen, wie sie von den Nomaden des Vorderen Orients bekannt sind, nur ist in Tibet das Knüpfen von Teppichen den Frauen vorbehalten, zumindest war es das so lange, bis man in der Neuzeit begann, Teppiche in Manufakturen für den Export anzufertigen.
Das Volk der Tibeter setzte sich aus seßhaften und nomadisierenden Stämmen zusammen, und beide Volksgruppen knüpften Teppiche. Im Gegensatz zu den orientalischen Teppichmustern, die sich bei Seßhaften und Nomaden unterschiedlich entwickelten, weisen die tibetischen Teppiche in der Mustergestaltung eine erstaunliche Einheitlichkeit auf. Allein aus ihrer Formgebung, die ihrer späteren Aufgabe entsprach, lassen sich bei manchen Stücken Schlüsse ableiten, die auf die Herstellung hinweisen. Die Zeichnung der tibetischen Teppiche weist zwar eine gewisse Breite an Variationen auf, sie wird aber von einer Reihe von Motiven beherrscht, die in unterschiedlichen Abwandlungen wiederkehren. Vorausgeschickt sei, daß in Tibet geknüpfte Teppiche, mit Sicherheit alle älteren, eine Knüpftechnik aufweisen, die sich von den anderen Knüpfarten unterscheidet. Diese spezielle Technik erleichtert es, auch jene Teppiche, die keine reinen tibetischen Muster aufweisen, aber im Lande geknüpft wurden, diesem zuzuordnen.
Wie das gesamte tibetische Leben von der Religion des Lamaismus getragen wurde, zeigte auch jedwede Kunst Einflüsse der Glaubensvorstellungen. Das gilt auch für die Teppichmuster, deren Symbolgehalt aus religiösen Motiven abgeleitet ist. Es sind Motive, die auch im chinesischen Teppich vorhanden sind, nur ist ihre Formgebung und vor allem ihre farbige Gestaltung eine andere. Auch hier läßt sich ein Vergleich zum orientalischen Teppich ziehen. Abgesehen von fruchtbaren Tälern war Tibet

ein karges Land, umgeben von den höchsten Gebirgen der Welt. Die Sehnsucht nach Farben und Buntheit – sie gehört zu den Urbedürfnissen des Menschen – bot sich dem Tibeter nicht in seiner Umwelt an. Ebenso wie der arabische Nomade mußte er sich eine persönliche Umgebung schaffen, die seine Sehnsucht nach wärmenden Farben oder leuchtenden Blüten stillte. Er übersetzte diese Sehnsucht in die Muster seiner Teppiche, deren farbiges Leuchten ihm den Ausgleich zu der ihn umgebenden tristen Natur lieferte.

Ebenso wie in China war der Teppich ein reiner Gebrauchsgegenstand. Er wurde zweckgebunden gefertigt, ohne daß man dabei vergaß, dem Schönheitsempfinden Ausdruck zu verleihen. Die Mehrzahl der tibetischen Teppiche ist kleinformatig. Die seßhafte Bevölkerung knüpfte vor allem Teppiche, mit denen die Sitzpolster in den Häusern bezogen wurden; ebenso wurden sie als Bettdecken benutzt. Selbst als Bodenbelag dienten kleinere Stücke, die aneinandergelegt wurden. Die tibetischen Nomaden benutzten den Teppich als Bodenbelag und als Decken und Sitzkissen. Dazu kamen die Satteldecken, die in großer Anzahl gefertigt wurden, in einem nahezu quadratischen Format. Weiter gab es Knüpfereien, die der oberen Abdeckung des Sattels dienten und in dessen Form gefertigt waren. Eine Sonderform stellen die Teppiche dar, die entweder in den Klöstern oder von der Bevölkerung für die Klöster geknüpft wurden. Diese Teppichart unterscheidet sich nicht in der Qualität von den reinen Gebrauchsteppichen, doch bestechen die Klosterteppiche durch ihre oft großzügige Zeichnung und eine ausgewogene Farbkomposition. Neben einer Art Reihengebetsteppich, der den Mönchen bei ihren Gebeten diente, gab es die Säulenteppiche, die die dikken Holzsäulen der Tempel schmückten. In ihnen spiegelt sich vor allem die ganze Symbolik des lamaistischen Glaubensgebäudes.

Es ist wahrscheinlich, daß die ersten tibetischen Teppiche über China hinweg nach Europa gelangten. Sie wurden ursprünglich als eine Sonderform des chinesischen Teppichs angesehen. Erst als man im 19. Jahrhundert begann, dank einiger verwegener

Forscher, Tibet als eigenständiges sprachliches, religiöses und kulturelles Zentrum zu werten, wurden diese Teppiche ihrem Ursprung gemäß eingeordnet.
Bis weit in das 19. Jahrhundert hinein blieb der chinesische Teppich und noch mehr der tibetische, eine Rarität. Während in Persien bereits große Manufakturen entstanden waren, denen es kaum gelang, den abendländischen Bedarf zu decken, war der Kreis der Liebhaber chinesischer Teppiche eng begrenzt. Abgesehen davon, daß es äußerst schwierig ist, das Alter eines chinesischen Teppichs zu bestimmen, darf man sagen, daß es sich bei den Teppichen, die vor 1900 nach Europa kamen, um Stücke handelt, die ursprünglich nicht für den Export bestimmt waren. Sie entsprechen im Muster und in der Farbkomposition den Wünschen und Vorstellungen der chinesischen Käufer und beinhalten nicht die Konzessionen, die später bei den für den Export geknüpften Teppichen gemacht wurden. Dies waren Konzessionen, die entweder vom ausländischen Auftraggeber gefordert wurden oder aus einer Vorstellung entstanden, in der China die abendländischen Muster-, Farb- und Qualitätserwartungen zu erfüllen glaubte.
Ein wahrer Boom des Chinateppichs setzte Anfang des 20. Jahrhunderts ein. Er ist jener Entwicklung vergleichbar, die sich in jüngster Zeit in Europa mit dem tibetischen Teppich vollzieht. Seit der Annektierung Tibets durch China, Anfang der fünfziger Jahre, gewann dieses Land zum ersten Mal in seiner Geschichte das Interesse der Welt. Tibetische Flüchtlinge brachten die Fertigkeit des Teppichknüpfens in ihre neuen Wohngebiete ein und schufen eine Industrie, der es kaum gelingt, den weltweiten Bedarf an tibetischen Teppichen zu decken. Auch hier läßt sich eine Entwicklung beobachten, die nur als negativ zu bezeichnen ist. Neben den klassischen Mustern erscheinen solche, die dem europäischen Geschmacksempfinden und den Vorstellungen entsprechen, die man sich in Europa von einem tibetischen Teppich macht. Viele der alten Teppichmuster, die für Kleinformate bestimmt waren, werden jetzt den gängigen Größen des Marktes angepaßt und verlieren so ihren einstigen Ausdruck und vor al-

lem auch den Charme, der die alten kleinen Knüpfereien so reizvoll machte.
Ein breiter gestaffeltes Interesse am chinesischen Teppich setzte zu Anfang des 20. Jahrhunderts ein. Die sich eruptiv entwikkelnde Nachfrage wird oft mit einem politischen Ereignis in Verbindung gebracht, wobei sich ein Vergleich mit dem erwachenden Interesse am tibetischen Teppich anbietet. Im Jahre 1899 vollzog sich in China eine gewisse politische Wandlung, eine Art von Rückbesinnung auf den einstigen Stil der Abgeschlossenheit gegenüber der restlichen Welt. Einer seit 1770 bestehenden Geheimsekte gelang es, im Nordosten Chinas einen Aufstand anzuzetteln, der ausschließlich gegen die Vertreter der imperialistischen Mächte gerichtet war. Dieses Aufbegehren ging als Boxeraufstand in die Geschichte ein. Die Großmächte der Welt waren nicht gewillt, ihre Niederlassungen auf chinesischem Boden kampflos aufzugeben. Sie rüsteten ein Expeditionskorps aus, dem es in kurzer Zeit gelang, den Aufstand niederzuschlagen. Es darf wohl angenommen werden, daß die Teilnehmer dieses Feldzuges Teppiche aus China in die Heimat mitbrachten, ebenso wie man China zwang, seine Exporte zu erhöhen. Ob dieser Vorgang allerdings allein dazu beitrug, die Begeisterung für den chinesischen Teppich zu erwecken, bleibt fraglich. Weit eher dürfte der weltweit einsetzende Wandel des Geschmacks im Rahmen der Innenarchitektur dazu beigetragen haben. In Europa war es der Jugendstil, in dessen florale Mustergestaltung sich der zartfarbene chinesische Teppich bestens einfügte; in Amerika war durch die pazifische Nachbarschaft das Interesse für Ostasiatica ständig im Wachsen begriffen. Amerika entwickelte sich rasch zum bedeutendsten Abnehmer chinesischer Teppiche. Der wachsende Reichtum des Landes ließ die ersten großen Sammlungen entstehen, die sich nicht mehr mit dem Erwerb der nachempfundenen, dem abendländischen Geschmack angeglichenen Chinoiserie begnügten. Man begann, die Kunstwerke zu sammeln, die in China für den Eigenbedarf entstanden waren. Da die chinesischen Menschen den Altertümern ihres Landes in jener Zeit noch beziehungslos gegenüber-

standen, sahen sie in dem weltweiten Interesse an ihrer Kunst die Möglichkeiten, einen schwunghaften Handel zu entwickeln. Es begann ein wahrer Ausverkauf Chinas. Wie die weitere politische Entwicklung im Lande bewies, wurden dadurch chinesische Kunstschätze vom Abendland, ebenso aber von japanischen Sammlern, vor der Zerstörung bewahrt. Zu diesen Schätzen gehören viele alte chinesische Teppiche, die sich heute vor allem in amerikanischen Museen und Sammlungen befinden.
Europa entdeckte die eigentliche Schönheit der chinesischen Teppiche erst an der Wende zum 20. Jahrhundert. Die zartfarbigen Knüpfereien fanden vorrangig als sogenannte Salonteppiche Verwendung (Tafel 2). Teppiche dieser Art waren in Europa, weit mehr als in Amerika, Gebrauchsstücke. In Museen und Teppichsammlungen wurden nur ausgefallene Stücke eingereiht, hier war es vor allem der Seidenteppich, oft in der Form des Wandbehanges mit Bildmuster, der die Sammler begeisterte. Die feine Knüpfung der Seidenteppiche bot sich als qualitativ vergleichbar zu den persischen Arbeiten an, die den europäischen Markt seit langem erobert hatten. Viele dieser chinesischen Seidenteppiche bestechen zwar durch die Feinheit ihrer Knüpfung und die Korrektheit der Zeichnung. Oft fehlt ihnen aber die Ursprünglichkeit des asiatischen Teppichs, denn sie waren allein für den Export gefertigt worden und spiegeln ein Chinabild wider, von dem der Hersteller glaubte, es würde den Vorstellungen entsprechen, die sich das Abendland vom fernen China macht.
Ebenso wie die Teppiche des Orients sind die Teppiche Asiens ein Teil der Gesamtkunst ihrer Länder. Formen und Muster werden nur als Teil der Gesamtentwicklung der Kunst verständlich. Es gibt kaum eine engere Verbindung zwischen Kunst und Handwerk als in der Teppichknüpferei.

DER CHINESISCHE TEPPICH

Die Entwicklung des Kunsthandwerks im Verlauf der chinesischen Geschichte

In der Kunst eines Volkes spiegelt sich der Ablauf seiner Geschichte. China gehört zu den ältesten Kulturvölkern unserer Welt. Seine Geschichte und in ihr die Entwicklung seiner Kunst ist durch eine Vielzahl von Funden belegt und durch schriftliche Quellen weitgehend überschaubar. Historisch gesicherte Angaben reichen bis in die Zeit der ersten drei Dynastien zurück. Am Anfang stand die Dynastie der Hsia. Den Annalen folgend, soll sie um 2205 v. Chr. entstanden sein. Achtzehn aufeinander folgende Kaiser lösten sich in der Herrschaft ab, bis um 1500 v. Chr. die Shang die Herrschaft übernahmen. Die Hauptstadt dieses Reiches war Anyang. Ausgrabungen haben bewiesen, daß in jener Epoche bereits eine hochentwickelte Kultur bestand. Ihren künstlerischen Ausdruck fand sie vorrangig in Bronzearbeiten. Die technische Entwicklung reichte bis zum Gebrauch des Radwagens, der von zwei an einer Deichsel gehenden Pferden gezogen wurde. Es gab bereits ummauerte Städte und sogar eine Wirtschaftsordnung. Diese setzte ihrerseits allerdings die Erfindung einer Schrift voraus, in der die Grundformen der späteren chinesischen Schriftzeichen jedoch schon erkennbar sind.

Die Shang-Dynastie bestand ca. 450 Jahre; achtundzwanzig Herrscher werden als Führer des Volkes benannt. Im Jahre 1027 übernehmen die Chou die Macht. Fünfunddreißig Könige wechseln einander ab und machen sich die Herrschaft streitig. Die Epoche von 481 bis 221 v. Chr. ging in die chinesische Geschichte als Zeit der Streitenden Reiche ein. Im Jahre 256 v. Chr. gelang es dem Prinzen Chao-hsiang aus dem Adelshaus der Ch'in, an die Macht zu gelangen. Nach einem Jahr folgt ihm der König Cheng, dem es nach langen Kämpfen gelingt, im Jahre 221 v. Chr. die achtzehn Provinzen in einem Reich zu vereinigen. Er beseitigt das Feudalsystem und macht sich zum ersten Kaiser mit dem Titel Ch'in Shih-huang-ti (Erster Kaiser aus dem Hause Ch'in). Die Ch'in-Dynastie gibt Staat und Volk ihren Namen. Unter der Regierung dieses Kaisers entsteht ein Staatsgefüge zentralistischer Ordnung, das bis zum Ende der Ch'ing-Dynastie, im Jahre 1912, für die Entwicklung Chinas bestimmend blieb. Unter den Ch'in wurden die aus dem Norden eindringenden Stämme der Hsiung-nu, sie gehörten zu den Turkvölkern, zurückgeworfen. Um weitere Einbrüche von Fremdvölkern zu verhindern, wurden die Nordgrenzen des Reiches durch Festungen gesichert. Dazu entstanden verbindende Grenzwälle, die später durch die große Steinmauer ersetzt wurden. Ihre Fertigstellung reicht bis in das 15. Jahrhundert. Um ein Reich dieser Ausdehnung zu beherrschen, wurde ein Verwaltungssystem geschaffen, dessen ausführende Organe aus einem Heer von Beamten bestanden, die im kleinsten Dorf die Macht des Kaisers repräsentierten. Nur auf dem Wege einer Vereinheitlichung wurde es möglich, das Riesenreich zu beherrschen. Es gab kaum einen Lebenssektor, der nicht von Normen bestimmt wurde. Angefangen mit dem Ausbau eines Straßennetzes, auf dem nur Wagen mit einer vorgeschriebenen Spurweite fahren durften, wurden ebenso die Gewichte und Maße vereinheitlicht. Vor allem wurde eine einheitliche Schrift geschaffen, die zum Verständigungsmittel der Völker untereinander wurde, die sich bisher unterschiedlicher Dialekte bedienten.

Die Vereinheitlichung beschränkte sich nicht allein auf die Zivilisation. Auch die kulturelle Entwicklung des Reiches wurde den vom Herrscher bestimmten Normen unterworfen. Von einer Gruppe Gelehrter ließ der Kaiser eine umfangreiche Enzyklopädie verfassen. In ihr wurden erstmalig die Ereignisse der Geschichte und die kulturellen Leistungen Chinas in einer Art von Kompendium aufgezeichnet, das späteren Generationen als Leitfaden dienen sollte. Die Objektivität dieser Annalen muß aber angezweifelt werden; Kritik am Handeln des Herrschers war den Wissenschaftlern nicht erlaubt. Wer seine Leistungen schmälerte, dessen Schriften wurden beschlagnahmt. Mit welcher Rigorosität der Kaiser jedwede Kritik verbot, beweist sich aus Aufzeichnungen, nach denen 460 Gelehrte hingerichtet wurden.

Die von Kaiser Ch'in Shih-huang-ti für Jahrtausende begründete Dynastie bestand nur neunzehn Jahre. Er selbst regierte nur fünfzehn Jahre, und es erscheint fraglich, ob der ihm zugeschriebene Aufbau des Staatsapparates sich in dieser Zeitspanne vollzog, wobei noch zu berücksichtigen ist, daß er seine letzten Lebensjahre im Wahnsinn verbrachte. Wahrscheinlich schuf er nur die Basis, auf der die ihm nachfolgende Han-Dynastie (206 v. Chr.–220 n. Chr.) die Festigung des Reiches fortsetzte.

Bis zum Beginn der Han-Dynastie entwickelte sich die chinesische Kunst in totaler Abgeschlossenheit gegenüber der Umwelt. Man kann von einer Art Staatskunst sprechen, deren Entwicklung in der Shang- und Chou-Zeit sich fast eruptiv vollzieht und auf gewissen Gebieten, vor allem im Bronzeguß, einen Höhepunkt erreicht, den nachfolgende Generationen nicht beibehalten konnten. In der Kunst dieser Epoche spiegeln sich die Glaubensvorstellungen einer Religion wider, die in einer Vielzahl von Symbolen ihren Ausdruck findet. Über diese Symbolik ist viel gerätselt worden; überzeugende Erklärungen für einzelne Motive ließen sich nur bedingt finden. Tatsache ist aber, daß diese frühen Kunstformen bestimmend blieben, und einige von ihnen gingen als Musterzeichnungen in die Knüpftradition ein. Ein gutes Beispiel bietet eine Vase aus An-yang, die in ihrer Musterzeichnung jene Bordüre zeigt, die später die Bezeichnung Mäander erhielt (Abb. 6).

In der Epoche der Han-Dynastie nimmt China die ersten Kontakte mit den jenseits der Grenzen liegenden Ländern auf. Expeditionen führen Gesandte nach Indien, zu den Indo-Skythen und

nach Ferghana. Die für China wohl bedeutendste Neuerung, die diese Botschafter mitbringen, ist die buddhistische Religion, die 67 n. Chr. offiziell in China eingeführt wird. Sie sollte die Kultur und Kunst des Landes in der Zukunft prägen, bis hinein in die Gegenwart.
In den nachfolgenden Jahrhunderten lösen sich einzelne Dynastien in rascher Folge in der Herrschaft ab; China zerfällt in drei Reiche. Erst unter der Sui-Dynastie (581–618) erfolgt eine erneute Einigung. In der nachfolgenden T'ang-Dynastie (618–906) wird China zu einer der stärksten

Abb. 6 Vase aus An-yang. Weiße Keramik mit eingepreßtem Muster, Höhe 33 cm. Shang-Dynastie (ca. 1550 bis 1025 v. Chr.). Freer Gallery of Art, Washington, D. C.

Weltmächte und erreicht seine größte territoriale Ausdehnung. Unbeirrt von politischen Ereignissen, wechselnden Herrscherhäusern und Fremdbeeinflussungen entwickelt sich die chinesische Kunst weiter und erreicht unter den T'ang einen ihrer Höhepunkte. Nach dreihundertjähriger Herrschaft dieser Dynastie zerfällt das Reich erneut, und von den fünf der nachfolgenden Herrscherhäuser sind drei türkischer Abkunft. Das bedeutet auf die Kunst bezogen, daß erneut fremde Elemente Eingang finden.

Erst 960 gelingt es den Sung, das Reich zu einigen. Die Zeit ihrer Herrschaft, sie endete 1279, gilt als eine Epoche des Friedens, obwohl das Reich von einfallenden Eroberern immer wieder bedroht wird. Im 10. Jahrhundert dringen die Liao ein, im 12. Jahrhundert sind es die Chin, die Teile des Reiches annektieren. Wie alle Fremdvölker vorher werden sie von den Chinesen aufgesogen und übernehmen die chinesische Kultur.

Die Sung-Kaiser gehen als Förderer der Künste in die chinesische Geschichte ein. Sie legen umfangreiche Sammlungen und Bibliotheken an, wobei jede ihrer Erwerbungen genauestens katalogisiert wird. Was in den Katalogen fehlt, sind Hinweise auf geknüpfte Teppiche. Sollte es bereits in dieser Zeit Teppiche gegeben haben, so galten sie als reine Gebrauchsgegenstände, denen ein künstlerischer Wert nicht zugebilligt wurde. Das einzige, was die Annalen vom 10. Jahrhundert benennen, ist die Einfuhr von Filzteppichen aus dem Reich der Tanguten, das sich über das Ordosgebiet und Teile von Kansu erstreckte. Die Hauptstadt dieses Reiches war das heutige Ninghsia, das sich in späterer Zeit zu

einem Zentrum der Teppichknüpferei entwikkeln sollte.
Im 12. Jahrhundert begründet Dschingis Khan das mächtige Reich der Mongolen, das sich anschickt, die Welt zu erobern. Die Krieger der Steppe erobern Uigur und das Königreich der Tanguten, dringen weiter nach Turkestan und Iran vor, erreichen Rußland und Ungarn und bedrohen die Mittelmeerländer. Ihr gen Westen gerichteter Eroberungsdrang zerbricht vor den Toren Europas. Der Weg nach China ist von einem totalen Erfolg begleitet. Im Jahre 1280 begründet Kublai Khan, der Enkel Dschingis Khans, in China die Yüan-Dynastie. Damit wurde das Reich der Mitte zu einem mongolischen Protektorat. Nach der bei allen Eroberern zunächst dominierenden Zerstörungswut trat bei den Mongolen rasch die Erkenntnis ein, daß sie ein Land und Volk besiegt hatten, das ihnen zivilisatorisch und kulturell weit überlegen war. Bald wurden die Mongolen, allen voran der Kaiser Kublai Khan, zu Verehrern und Bewahrern der chinesischen Kunst. Mit welchem Geschick der Kaiser zu regieren verstand, beweisen die Berichte des Marco Polo, der von 1271–1294 am Hofe des Herrschers lebte.
Der schon vor der Zeit der Mongolenherrschaft bekannte Filzteppich wird jetzt zu einem Luxusgegenstand. Vermutlich brachten die Mongolen Teppiche dieser Art mit nach China und sorgten für weitere Verbreitung. Die Annalen verzeichnen große Mengen von Teppichen, die für den Hof gefertigt wurden. Dabei reichen die Angaben bis ins Detail. Sie beschreiben silberbroschierte Netzfilzstoffe mit applizierten Mustern und erwähnen die Schönheit der Farbkomposi-

tionen. Wieweit diese Teppiche bereits Knüpfteppiche waren, ist nicht zu klären. Direkt werden solche nicht erwähnt, doch ist es nach den Aufzeichnungen nicht möglich, klar zu definieren. Technische Beschreibungen über die Herstellung dieser Teppiche sind nicht vorhanden.

Die Herrschaft der Mongolen endete im Jahre 1386; es waren also knapp einhundert Jahre, in denen China mit einer ihm fremden Kultur konfrontiert wurde. Obwohl die Mongolen die chinesische Kultur zu ihrer eigenen machten, blieb es nicht aus, daß auch Motive ihrer Kunst in die chinesische eingingen. Das beste Beispiel dafür bieten die Filzteppiche. Insbesondere im Kunsthandwerk blieben Elemente erhalten, deren Ursprünge bis in den Vorderen Orient, vor allem nach Persien, reichen, und die sich besonders auf die spätere Teppichproduktion auswirken sollten. Ebenso beeinflußten chinesische Motive die abendländische Kunst; erinnert sei an die erwähnte Brokatweberei.

Dem späteren Kaiser Chu Yüan-chang, er wird zum Begründer der Ming-Dynastie (1368 bis 1644), gelang es, die Mongolen in die Wüste Gobi zu vertreiben. Erneute Versuche, China zurückzuerobern, bringen ihnen nur Teilerfolge. Es gelingt ihnen zwar, einen chinesischen Kaiser acht Jahre gefangenzuhalten, um ihn dann aber doch unter dem Druck eines erstarkenden China freizugeben.

In der Ming-Zeit nimmt China erneut Kontakte zum Abendland auf, es baut die Handelsbeziehungen aus, die sich in der nachfolgenden Ch'ing-Dynastie weiter entwickelten.

Die Ch'ing-Dynastie (1644–1912) war, ebenso wie die Yüan-Dynastie, eine Art von Fremdherr-

schaft. Das Herrscherhaus stammte aus der Mandschurei, weswegen diese Epoche auch den Namen Mandschu-Zeit trägt. Den Mandschus gelang es, die politischen und wirtschaftlichen Wirren, die am Ende der Mingzeit bestanden, zu beseitigen. Ähnlich wie in der Zeit der Mongolenherrschaft bestand die Gefahr einer Überfremdung der chinesischen Kultur. Was eintrat, war aber eine Wiederholung dessen, was sich im 13. Jahrhundert schon einmal vollzogen hatte. Die Mandschuherrscher wurden zu großen Verehrern der chinesischen Kultur, und was die Kunst anlangt, so waren sie in der Bewahrung um ihre Reinheit chinesischer als die Chinesen. Sie begannen erneut, systematisch Kunstwerke zu sammeln; das künstlerische Zentrum wurde die Kaiserstadt Peking. Diese Sammlungen, zu denen auch Teppiche gehören, bildeten die Grundlage für die großen Palastsammlungen in Taiwan.
Mit den Namen der Kaiser der Ch'ing-Dynastie verbinden sich die ersten konkreten Hinweise auf geknüpfte Teppiche. Der Kaiser K'ang-hsi (1662–1722) unternahm eine Reise in die Ostprovinzen seines Reiches, auf der ihn auch der Jesuitenpater Gerbillon begleitete. Von ihm stammt ein Bericht über den Aufenthalt des Kaisers in Ning hia (Ninghsia) vom 26. April 1696. Gerbillon schreibt, daß dem Kaiser Seidenstoffe aus Usbekistan und Bodenteppiche aus Ning hia als Geschenke überreicht wurden. Weiter teilt er mit, daß der Kaiser eine der Teppichmanufakturen besichtigte. Diese Aufzeichnungen deuten auf das Vorhandensein von Teppichmanufakturen in Ninghsia zu Ende des 17. Jahrhunderts hin.

Spätere Annalen aus der Zeit des Kaisers Ch'ienlung (1736–1796) berichten vom großen Interesse des Kaisers an Knüpfarbeiten und zählen viele Teppiche auf, ohne jedoch deren Herkunft zu erwähnen.

Es bleibt ungewiß, in welcher Epoche die Anfänge des chinesischen Knüpfteppichs liegen, und die Meinung der Fachwelt geht auseinander. Möglich ist es, daß bereits die Filzteppiche der Mongolenzeit teilweise geknüpft waren; wahrscheinlicher ist es, daß die Anfänge einer Teppichherstellung größeren Umfanges erst Ende des 17. Jahrhunderts zu finden sind. Geht man von dieser Annahme aus, so stellt der chinesische Teppich eine Art von Endprodukt dar, das sich der breiten Palette der chinesischen Kunst bedienen konnte. Einige der ältesten bekannten Teppiche bestätigen diese Ansicht. Es sind ausgereifte Kunstwerke, die in ihren Mustern die ganze Breite der chinesischen Vorstellungswelt widerspiegeln. Daneben gibt es aber eine Vielzahl von ebenfalls alten Teppichen, die in Knüpfung und Muster weit einfacher gearbeitet sind. Die Erklärung dafür ist nur darin zu finden, daß es zwei unterschiedliche Herstellungsformen gab. Die sogenannten Palastteppiche mit ausgereiften Mustern wurden in Manufakturen gefertigt. Daneben muß es eine Art von Hausweberei gegeben haben, in der die Teppiche für den alltäglichen Gebrauch geknüpft wurden. An diesen meist kleinformatigen Arbeiten ist die Musterentwicklung zu verfolgen; sie beginnt mit einfachen Formen und zeigt mit zunehmender Handfertigkeit die Entwicklung, die dann im großformatigen Palastteppich ihren Endpunkt fand (Abb. 7).

Abb. 7
Palastteppich mit Fo-Hunden und buddhistischen Symbolen.
19. Jahrhundert. Knoten: Seide mit Goldbroschierung; Kette und Schuß: Seide. Fondfarbe: Goldgelb. 300 × 250 cm. Privatbesitz.

Material und Knüpftechnik – Farben und Formen

Die chinesischen Teppiche bestehen aus den gleichen Materialien, die für die Teppiche des Vorderen Orients Verwendung finden. Es sind Wolle, Baumwolle und Seide. Die Wollqualität alter chinesischer Teppiche weist sehr große Unterschiedlichkeiten auf. Die Gründe dafür finden sich in der Wirtschaftsstruktur Chinas. Seit frühester Zeit war es ein Agrarland, in dem die Haltung großer Schafherden nicht üblich war. Zum Wollieferanten wurde das Tarimbekken. Die dort produzierte Wolle zeichnet sich durch Feinheit und Elastizität aus. Sie besitzt das, was bei einer Teppichwolle mit dem Begriff Sprung bezeichnet wird. Das bedeutet, daß sie die Fähigkeit besitzt, sich nach dem Betreten des Teppichs immer wieder aufzurichten. Die Mengen, die aus den Tarimbecken kamen, genügten aber nicht; bald wurde Tibet zum Wollieferanten. Es lieferte gute, aber gröbere Qualitäten. Daneben wurde für die Heimweberei in begrenztem Umfang Wolle von Hausschafen verwendet. Obwohl seit dem 19. Jahrhundert der chinesische Teppich zu einem bedeutenden Exportartikel wurde, begann China nicht, seine eigene Wollproduktion zu steigern. Für den größten Teil der in der Gegenwart geknüpften Teppiche wird aus Neuseeland eingeführte Wolle verwendet. Es ist eine Wolle guter Qualität, die sich für die relativ grobe Knüpfung gut eignet; weiter besitzt sie genügend Festigkeit, um die jetzt sehr geschätzte Reliefschur klar aus der Zeichnung heraustreten zu lassen.

Hier sei vorweggenommen, daß eine der Schwierigkeiten der Lokalisierung eines chinesischen Teppichs darin liegt, daß die Herkunft der Wolle keinen Hinweis auf den Knüpfort gibt. Baumwolle wurde erst im 19. Jahrhundert eingeführt, eine Eigenproduktion wurde nicht aufgebaut. Diese Wollart fand ausschließlich als Untergewebe Verwendung. Teppiche, in denen Baumwolle verarbeitet wurde, sind allgemein daran erkennbar, daß zum einfachen Schußfaden ein doppelter Kettfaden gelegt wurde. Beim reinen Wollteppich bestehen Kette und Schuß aus je einem gleich starken Faden.

Abb. 8 Seidenraupenzucht. Holzschnitt, 18. Jahrhundert.

Zu den schönsten chinesischen Teppichen gehören die aus reiner Seide geknüpften. Hier fand ein Material Verwendung, dessen Gewinnung eine rein chinesische Erfindung ist und deren Tradition bis in die T'ang-Zeit (618–906) zurückreicht. Seide wird aus den Kokons der Seidenraupe gewonnen. Ein in China beheimateter Schmetterling, der Maulbeerseidenspinner, bekam seinen Namen nach dem Maulbeerbaum, von dessen Blättern er sich ernährt. Die Seidengewinnung beginnt mit dem Einsammeln der Raupen, sobald diese die Schalen ihrer Eier durchbrechen. Die Raupen werden mit großer Vorsicht auf Matten ausgebreitet, die auf Rahmen gespannt sind (Abb. 8). Sechzig Tage werden die Raupen mit Maulbeerblättern gefüttert, bis sie sich in einem gesponnenen Kokon verpuppt haben. Die Kokons werden an der Sonne

繭

getrocknet, wobei die Puppen absterben. Danach werden die Kokons in heißes Wasser gelegt, wo sie einen Teil ihres Leimbestandes verlieren. Es verbleibt aber noch soviel Leim in dem Gespinnst, daß ein Verspinnen nicht notwendig ist. Die Fäden werden auf eine Garnwinde gewickelt und sind fertig zur Verarbeitung. Der Ertrag ist relativ gering; zehn Gewichtseinheiten Kokons ergeben eine Gewichtseinheit Seide, von der aber nur die Hälfte hochwertig ist, zum Weben und Knüpfen geeignet. Die andere Hälfte besteht aus gröberem Garn, das sich nur für Strickarbeiten eignet. Vergegenwärtigt man sich, in welchen Mengen Seide für die Webereien und Knüpfereien Verwendung fand, so ergibt sich daraus, daß die Seidenraupenzucht schon in der T'ang-Zeit ein blühender Wirtschaftszweig war. Nach ihr erhielten die Handelswege nach dem Westen die Bezeichnung »Seidenstraße«, denn Seide gehörte zu den bevorzugten chinesischen Ausfuhrartikeln. Es war

Abb. 9 Brokatstoff mit stilisiertem Baummuster, Seide, fünffarbig. 20,5 × 6,5 cm. Nördliche Dynastie (368–581), Sinkiang.

aber nicht nur das fertige Produkt, das ins Ausland gelangte. Die Zucht von Seidenraupen wurde von anderen Ländern übernommen, die Maulbeerbäume zu kultivieren begannen. In Indien entstand eine große Seidenindustrie, aber auch im Vorderen Orient und in Südostasien wurde Seide hergestellt.
In der chinesischen Seidenweberei wurden Erkenntnisse gewonnen, die später beim Knüpfteppich Verwendung fanden. Vor allem wurden Färbetechniken entwickelt, mit denen es gelang, feinste Farbabstufungen in gleichen Tönen konstant herzustellen. In einer breiten Musterpalette finden sich Motive, die später in die Teppichknüpferei Eingang fanden. Alle Motive der T'ang-Malerei wurden von der Webkunst übernommen. Es entstanden Seidengemälde mit Jagdszenen oder musizierenden Damen, beides beliebte Motive der Malerei. Daneben bildete sich die Brokatweberei heraus, die sich vor allem abstrakter Muster bediente (Abb. 9). Blu-

Abb. 10 Wandbehang (K'o-ssu). Seidenweberei mit Goldfäden, Länge 198 cm. Ming-Dynastie (1368–1643). Cleveland Museum of Art.

menmotive wurden stilisiert und wiederholten sich im Rapport, Arabeske und Medaillon traten erstmals als Bildinhalt auf. Fremdeinflüsse aus dem Vorderen Orient fanden in abgewandelten Formen Eingang in die chinesischen Muster. Es waren Motive, die auch die Zeichnung späterer Teppiche bestimmten. In der Ming-Zeit (1368–1644) erreichte die Seidenweberei einen erneuten Höhepunkt, sie hat dort den ihr eigenen, reinen chinesischen Stil gefunden (Abb. 10).

Aus Seide geknüpfte Teppiche bildeten wohl nicht den Anfang der Knüpferei, doch läßt die Vertrautheit mit dem Werkstoff Seide den Schluß zu, daß dieses Material bereits im 17. Jahrhundert vor allem für Bildteppiche Verwendung fand. Der feine Seidenfaden ermög-

lichte eine weit engere Knüpfung als die grobe Wolle und bot sich für die Darstellung von Figurengruppen und realistischen Motiven an. In diese Gruppe sind die seidenen Wandteppiche einzuordnen, die im 18. Jahrhundert von China nach Europa gelangten.
In späterer Zeit wurde Seide zu einem Qualitätsmerkmal chinesischer Teppiche. Ihre Verwendung blieb nicht auf den Bildteppich begrenzt, Seidenteppiche gibt es in unterschiedlichen Mustern und Formen; alte Stücke zeichnen sich durch feine Knüpfung und eine klare Musterzeichnung aus.
Die weit verbreitete Meinung, chinesische Teppiche seien ausschließlich im persischen oder Senneh-Knoten geknüpft, ist nur bedingt richtig. Für neuzeitliche Teppiche findet der Senneh-

Knoten allgemein Verwendung (Abb. 11). Diese Teppiche sind gegenüber den älteren Stücken fester geknüpft, womit man den abendländischen Bedürfnissen nach strapazierfähigen Teppichen Rechnung trägt. Alte chinesische Teppiche weisen immer eine relativ lockere Knüpfung auf. Den chinesischen Teppichknüpfern war nicht nur der persische Knoten bekannt, sie bedienten sich ebenso des türkischen

Abb. 11

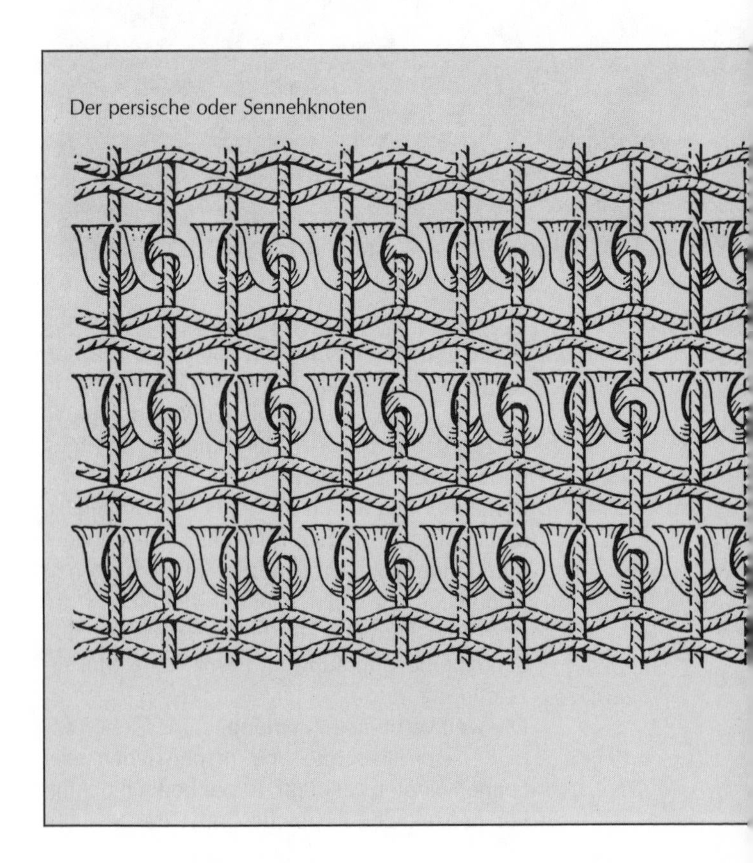

oder Ghiordes-Knoten (Abb. 11). Beide Knotenarten haben Vor- und Nachteile, wobei die Vorteile einer jeden Knotenart in China geschickt genutzt wurden. Beim Senneh-Knoten treten beide Fadenenden getrennt aus dem Untergewebe heraus. Bei dieser Knüpfung ergibt sich eine feinere Konturenzeichnung. Alte chinesische Teppiche weisen im Mittelfeld die Senneh-Knüpfung auf. Um dem lockeren Gewebe Halt

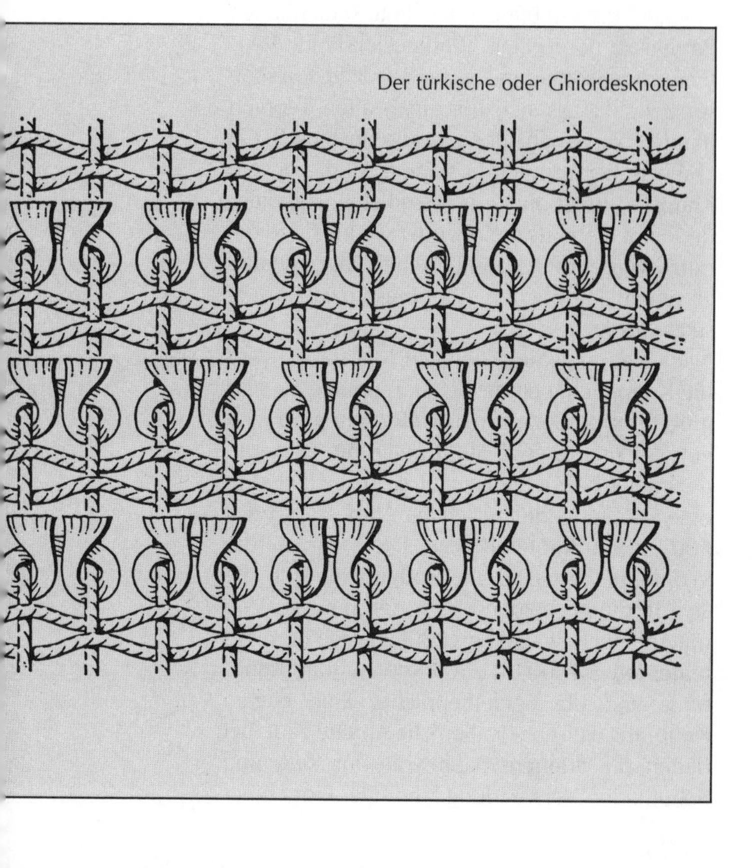

Der türkische oder Ghiordesknoten

zu geben, entwickelte China die Verbindung beider Knotenarten. Der Ghiordes-Knoten hat den Vorteil größerer Festigkeit; beide Fadenenden treten gemeinsam an die Oberfläche. Dieser Knoten fand zum Knüpfen der Bordüre oder zumindest am Anfang und Ende des Teppichs Verwendung. Durch die Verbindung beider Knüpftechniken wurden die Teppiche haltbarer und formbeständiger. Beim Kauf eines alten chinesischen Teppichs sollte man sich die Mühe machen, die Knüpftechnik in unterschiedlichen Partien zu überprüfen. Finden sich beide Knotenformen, so darf mit Sicherheit angenommen werden, daß es sich um einen alten Teppich handelt. Weit mehr als ein persischer täuscht ein chinesischer Teppich in seinem Alter. Lockere Knüpfung und hoher Flor lassen einen Teppich, der nicht mehr als dreißig oder vierzig Jahre benutzt wurde, oft als antik erscheinen, ohne daß er einem künstlichen Alterungsprozeß ausgesetzt wurde.
Nach den allgemein gültigen Maßstäben wird die Knüpfdichte chinesischer Teppiche als sehr grob bis grob bezeichnet. Unter sehr grob wird eine Dichte bis etwa 500 Knoten pro Quadratdezimeter bezeichnet, unter grob versteht man eine Knüpfung, die in gleicher Abmessung etwa 500 bis 900 Knoten beträgt. Die Mehrzahl der Wollteppiche weist eine Knüpfdichte auf, die sich in diesen beiden Kategorien bewegt. Von mittelfeiner (etwa 900 bis 1800 Knoten/qdm) bis feiner (etwa 1800 bis 2500 Knoten/qdm) Knüpfung sind die Seidenteppiche. Eine engere Knüpfung weisen vor allem die Arbeiten auf, bei denen die dünnere Baumwolle für Kett- und Schußfaden Verwendung fand. Der Flor chine-

sischer Teppiche ist bei den aus Wolle geknüpften sehr hoch; teilweise wird er in schraffiertem Schnitt geschoren. Die Seidenteppiche weisen einen flachen Flor auf, der in seiner Höhe dem der persischen Wollteppiche entspricht. Hier sei noch einmal auf die unterschiedlichen Wollqualitäten verwiesen. Teppiche guter Qualitäten, deren Wolle starke Elastizität aufweist, werden auch nach längerer Benutzung eine klare Musterzeichnung aufweisen. Mindere Wollqualitäten sind daran erkennbar, daß der Teppich einen flachgetretenen Flor aufweist, der die Musterzeichnung nur verschwommen heraustreten läßt.

Die grobe Knüpfung dieser Teppiche ist kein Beweis für mangelnde Qualität. Sie ist eine Eigenart, die sich durch die Verwendung stärkerer Knüpffäden entwickelt hat. Entscheidend für die Haltbarkeit ist das Untergewebe. Weist dieses eine klare Zeichnung auf, so ist damit ein Hinweis auf die Festigkeit der Knüpferei gegeben. Hinzu kommt, daß chinesische Teppiche weit schwerer sind als persische; ihr Eigengewicht verhindert die Verzerrung des Gewebes und unterstützt damit ihre Haltbarkeit.

Das Arbeitsgerät des Teppichknüpfers ist der Knüpfstuhl. Von den beiden bekannten Arten, dem horizontalen und dem vertikalen Knüpfstuhl, ist in China nur der letztere verbreitet (Abb. 12). Der hochstehende, vertikale Knüpfstuhl ist nicht oder nur schwer transportabel. Damit ist bewiesen, daß die Teppichknüpferei in China auch in ihrem Anfangsstadium nicht von Nomaden ausgeübt wurde. Die Knüpferei entwickelte sich in dörflichen Gemeinschaften. Sie war anfänglich ein Handwerk, das ausschließlich der Herstellung von Gebrauchsstükken diente, die für den eigenen Haushalt bestimmt waren. Es wurden kleinformatige Teppiche geknüpft, in Abmessungen, die ihrer Aufgabe entsprachen, sei es als Sitzpolster, Karrendecke oder Sattelunterlage. Auch die frühen Bodenteppiche wurden auf kleinen Webstühlen geknüpft und dann in Einzelteilen aneinandergefügt. Damit erklären sich Musterzeichnungen, die unausgewogen wirken, weil sie nur eine einseitige Bordüre zeigen oder ein Muster, das willkürlich zu enden scheint. Mit der Nachfrage nach größeren Teppichformaten wurde es notwendig, Webstühle zu konstruieren, die das

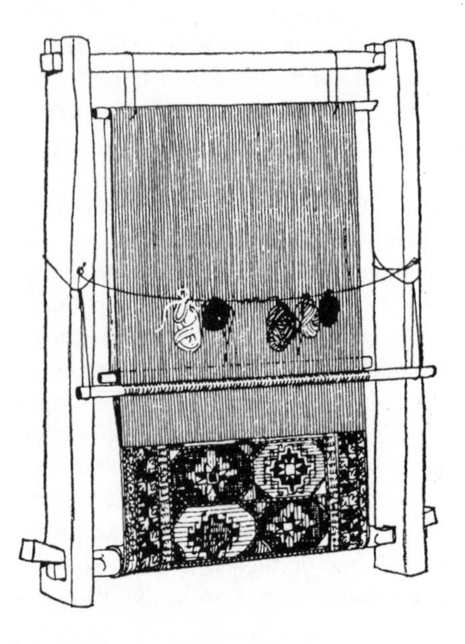

Abb. 12 Vertikaler Knüpfstuhl.

Knüpfen breiterer Formate ermöglichten. Es sind Holzgerüste, über deren obere und untere Stange die Kettfäden gespannt werden. Zu Anfang kauern die Knüpfer auf dem Boden, mit zunehmender Knüpfhöhe sitzen sie auf einem Leitergerüst. Um die Länge des Teppichs auf die doppelte Höhe des Knüpfstuhls vergrößern zu können, ließ man die Kettfäden über einen Rollensatz laufen. Großformatige chinesische Teppiche wurden ausschließlich in Manufakturen hergestellt (Tafel 3).
In den letzten Jahren wurde in China eine Knüpftechnik entwickelt, die sich maschineller Hilfsmittel bedient, deren Ergebnis aber in Technik und Aussehen der Oberseite des Teppichs den Anschein einer Handknüpfung erweckt. Als Grundgewebe dieser Teppiche dient ein Kanevas, ein festgewebtes Gitter, wie es ähnlich für Gobelinstickereien verwendet wird. Auf dieses Gittergewebe wird das Teppichmuster vorgedruckt, die Knoten werden mit einem Elektrohaken eingezogen. Die Rückseite des Teppichs wird dann mit einem Gummikleber überzogen, um dem Gewebe Halt zu geben. Der Gummikleber wird mit einer Schicht dünner Baumwolle abgedeckt, über die ein festes Gewebe aufgenäht wird. Die Fransen werden mit der Hand eingezogen, was den Eindruck eines handgearbeiteten Stückes verstärkt. Eine chemische Wäsche verleiht den Teppichen jene Patina, die ältere Stücke, bedingt durch ihre natürliche Alterung, aufweisen. Es ist leider nicht von der Hand zu weisen, daß es Händler gibt, die diese Teppiche als ältere Stücke anbieten, wobei sie die Rückseite mit dem aufgenähten Futter als Hinweis dafür benutzen, daß ein Abfüttern nur bei

besonders kostbaren Stücken vorgenommen wurde. Vor Kauf eines Teppichs, dessen Abseite nicht klar sichtbar ist, sollte man diese abtrennen lassen, um die Rückseite zu begutachten. Bemerkt sei, daß diese maschinell geknüpften Teppiche den Laien durchaus faszinieren können. Sie bestechen durch eine klare Zeichnung und eine ungemein einheitlich wirkende Knüpfdichte.

Mit dem Beginn der Seidenweberei entwickelte sich in China eine Färbetechnik, die später auch beim Einfärben von Teppichwolle Anwendung fand. Bis weit in das 19. Jahrhundert hinein wurden ausschließlich Farben benutzt, die aus dem Pflanzen- und Mineralreich gewonnen wurden. Hier seien nur die Ausgangsstoffe benannt, die zur Herstellung der Grundfarben dienten. Für rote Farbtöne wurde die Wurzel der Krapppflanze gebraucht, das in allen Schattierungen benutzte Gelb gewann man aus den Schalen der Granatäpfel unter Zusatz des Saftes von Wolfsmilchgewächsen. Die Indigopflanze lieferte die blaue Farbe, graue und braune Töne wurden aus dem Absud von Nußschalen und Granatäpfeln hergestellt. Stärker als im Vorderen Orient war das Farbempfinden der chinesischen Knüpfer ausgebildet. Während ältere Orientteppiche neben kräftigen Farben oft stark verblaßte aufweisen, ist die Farbkomposition insbesondere der älteren chinesischen Teppiche in ihrer Wirkung einheitlich. Bereits beim Knüpfen wurde das spätere Verblassen einzelner Farben berücksichtigt; lange Erfahrung in der Weberei machte diese Vorausschau möglich.

Die Farbpalette der chinesischen Teppiche ist in ihrem Umfang nicht geringer, als die des Vorderen Orients. Der Unterschied besteht allein darin, daß der einzelne chinesische Teppich im Wechsel seiner Farben begrenzter ist, bedingt durch eine großzügige Mustergestaltung. Von besonderem Reiz sind die Variationen, in denen eine Farbe, fließend von Ton zu Ton, abgewandelt wird. Erstaunlich am chinesischen Teppich ist die Farbeinheitlichkeit eines bestimmten Farbtones. Sie ist dadurch gewährleistet, daß in den Manufakturen stets größere Wollpartien, zumindest die für einen Teppich, gleichzeitig eingefärbt wurden.

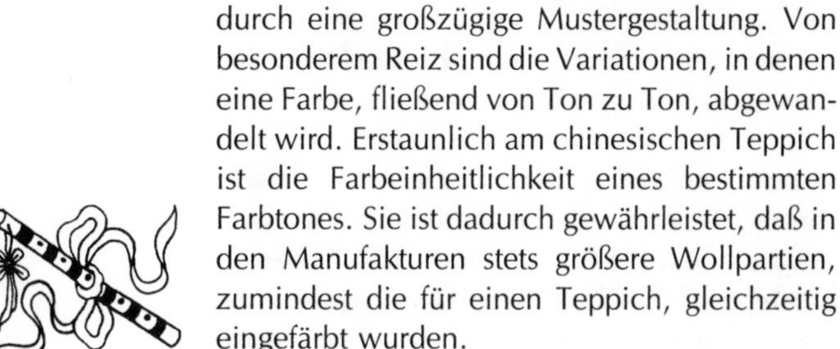

Um die Mitte des 19. Jahrhunderts geriet die Herstellung von Farben aus Naturstoffen weitgehend in Vergessenheit. Die Anilinfarbe hatte auch China erobert und bot sich als leicht zu verwendender Grundstoff zum Einfärben der Teppichwolle an. Nach anfänglichen Schwierigkeiten gelang es den Färbern, der Wolle jene Tonigkeit zu geben, die den Naturtönen entsprach. Es gibt chinesische Teppiche aus dem späten 19. Jahrhundert, deren Wolle zwar mit Anilin gefärbt ist, deren Aussehen aber durchaus jenen Stücken vergleichbar ist, die Naturfarben ausweisen. In der Gegenwart tritt in begrenztem Rahmen eine Rückbesinnung auf alte Knüpftraditionen ein. In den Manufakturen von Ninghsia werden Teppiche nach klassischen Vorbildern, vorrangig in Seide, geknüpft, deren Material mit Naturfarben eingefärbt wurde. Bei aller Perfektion, die man bei der Verwendung von Anilinfarben entwickelte, können die so gefärbten Teppiche eine gewisse Künstlichkeit in der Farbwirkung nicht verleugnen. Der Unterschied tritt deutlich auf, wenn zwei Teppiche unterschiedlicher Färbetechnik nebeneinander liegen.

Alte chinesische Teppiche gibt es in den unterschiedlichsten Formaten. Da der Teppich in China nur bedingt als Bodenbelag Verwendung fand, gibt es eine Vielzahl von Knüpfarbeiten, deren Maße sich von ihrer ursprünglichen Bestimmung herleiten. Teppiche mit einem Format von ca. 90 × 50 cm waren ursprünglich Sitzpolster auf Bänken oder Karren, kleinere hufeisenförmige Teppiche, die oft paarig angeboten werden, dienten als Sitz und Rückenbezug eines Sesselpolsters. Oft weisen diese Bezüge auch ein rechteckiges Format auf mit einem ausgebogten oberen Rand. Fast quadratische Formen haben die Gebetsteppiche, die von den Mönchen in den Klöstern benutzt wurden; sie übersteigen jedoch selten das Format von ca. 80 × 80 cm.

Diese Gebetsteppiche werden oft zu mehreren in gleicher Musterstellung, miteinander durch Kettfäden verbunden, im Handel angeboten. Sie erwecken den Eindruck einer Galerie, also eines längeren Läufers. Ursprünglich wiesen sie den in einer Reihe nebeneinander sitzenden Mönchen ihren jeweiligen Platz zu. Werden diese lose verbundenen Teppiche einer ständigen Benutzung ausgesetzt, so besteht die Gefahr, daß sich die jeweiligen Teppichenden in ihrer Knüpfung lockern und sich die Knoten lösen. Da die letzten Schußfäden, bedingt durch die Weiterbenutzung des Kettfadens für den nächsten Teppich, nicht abgeknotet sind, besteht die Gefahr der Lockerung. Es ist unbedingt notwendig, die letzten Knüpfreihen, ebenso die ersten eines jeden Stückes, mehrfach zu umstechen, um der Knüpfung den Halt zu geben, der sonst durch die Verknotung gewährleistet ist.

Von besonderer Schönheit sind die Satteldecken und die Unterlagen, die zwischen Pferderücken und Sattel gelegt wurden. Die Pferdedecken sind nahezu quadratisch und übersteigen selten das Maß von 120 × 120 cm. Satteldecken sind an einer Naht zu erkennen, die durch die Mittellinie läuft. Sie wurden immer in zwei Teilen mit gleichem Muster geknüpft; die Knüpfung läuft jeweils von der Oberkante zum unteren Rand. So wurde der Reiter beidseitig nicht durch das aufgestellte Knüpfhaar gestört. In ihrem Format wurden die Satteldecken dem Sitz des Reiters genau angepaßt. Neben glatten Decken finden sich solche, die eine ausgesparte Öffnung für den Sattelknauf tragen; oft sind es auch zwei Öffnungen, aus denen ein Doppelknauf ragte.

Zu den frühesten Knüpfarbeiten gehören die Bettdecken, die am heimischen Webstuhl gefertigt wurden. Sie bedeckten den Kang, die Bettstatt des Chinesen. Dieser gehört in die Gruppe der ältesten Möbel; vor ihm diente ein flach gemauerter Ofen als Lagerstatt. Die Kang-Decken sind unterschiedlich groß. Es wurden einzelne kleinere über ein Bett gelegt, wovon dann eine oder mehrere benutzt wurden. Die Muster dieser Knüpfereien sind zwar farbenfreudig, in ihrer Zeichnung aber noch einfach gestaltet. Neben Karozeichnungen gibt es sich wiederholende Ornamente oder stilisierte Blüten, umgeben von einer schmalen Bordüre, die vielfach das Mäandermuster aufweist.

Erst mit dem Beginn der Palastarchitektur größeren Umfanges in der Epoche der Ch'ing-Dynastie (1644–1912) wurden Teppiche geknüpft, die ausschließlich als Bodenbelag dienten. Die Formate dieser Teppiche nähern sich oft dem

Quadrat an; sie entsprechen der Ausgewogenheit, die die Chinesen ihren Räumen gaben. Unter diesen Teppichen finden sich sehr große Formate; Einzelstücke von 6 × 8 m sind keine Seltenheit. Im 19. Jahrhundert wurden die für den Export bestimmten Teppiche in den Maßen geknüpft, die den Wünschen der Abnehmer entsprachen; die Formate glichen sich den persischen Abmessungen an. Kreisförmige Teppiche werden nicht erst in der Gegenwart hergestellt; es gibt sie, wenn auch selten, schon aus früherer Zeit, in der sie die Böden der runden Gartenpavillons schmückten.

Abgesehen von den aneinander gewebten Gebetsteppichen, kannten die Chinesen das eigentliche Läufer- oder Galerieformat nicht. Lange schmale Teppiche dienten nur als Säulenverkleidungen, aber nie als Bodenteppiche. Läuferformate wurden erst im 20. Jahrhundert als Auftragsarbeiten geknüpft, oft mit verzerrt angelegten Mustern. Leider hat sich nach diesen Teppichen eine rege Nachfrage vor allem in Deutschland entwickelt, wo sie in Form von zwei kurzen und einem langen Läufer als das benutzt werden, was man mit dem schrecklichen Wort »Bettumrandung« bezeichnet. Besonderer Beliebtheit erfreuen sich dabei die Teppiche, deren hoher Flor Schraffierungen aufweist, die oft an eine Gebirgslandschaft erinnern. In diese preiswert angebotene Gruppe von Teppichen gehören vor allem diejenigen, die maschinell geknüpft wurden.

Der Sammler alter chinesischer Teppiche, insbesondere kleinformatiger, sollte sich immer vergegenwärtigen, daß diese Knüpfereien nicht als Bodenteppich hergestellt wurden. Sie halten einer Beanspruchung durch europäisches Schuhwerk auf Dauer nicht stand. Teppiche dieser Art sollten ihrem einstigen Zweck verbunden bleiben oder an einem Platz liegen, an dem sie nicht ständig betreten werden. Gleiches gilt für die Teppiche, die in ihrer Musterstellung ein reines Bild wiedergeben. Sie waren als schmükkender Wandbehang gedacht und sollten diesen Zweck auch heute erfüllen.

Die Mustergestaltung des chinesischen Teppichs

Die Teppiche Chinas weisen eine Mustergestaltung auf, die sie von den Erzeugnissen des Vorderen Orients klar unterscheidet. Nur in den Teppichen der zentralasiatischen Randgebiete sind Fremdeinflüsse erkennbar; sie erscheinen in abgewandelten Formen, die der chinesischen Vorstellungswelt angepaßt sind. Die Motivfülle entspricht in der Gesamtheit der des orientalischen Teppichs, nur tritt sie im Einzelstück weniger konzentriert auf. Während der orientalische Teppich einen Ausschnitt der Natur wiedergibt und deren Vielfalt mit einer Bordüre umgibt, die in konzentrierter und stilisierter Form den Fond des Teppichs umrahmt, sieht der Chinese im Teppich eine in sich geschlossene Einheit. Für ihn ist der Teppich, sofern er eine bildliche Darstellung zum Inhalt hat, ein Gemälde, das eine Umrahmung durch die Bordüre erhält. Ausgehend von dieser Vorstellung sind die Bordüren chinesischer Teppiche meist linear angelegt. Oft bilden sie nur einen andersfarbigen Rahmen, oder sie zeigen ein strenges Muster, wobei die Mäanderkante in unterschiedlicher Gestaltung vorherrschend ist.
Die Farbskala eines Teppichs wird allgemein nur von drei Grundfarben bestimmt. Diese Grundfarben sind vor allem unterschiedliche

Blautöne, Weiß, Hell- und Dunkelbraun, Gold in vielen Abstufungen und Rot, wobei in alten Teppichen das Krapprot oft zu einem Altgoldton abgeblaßt ist. Bei der Begrenzung auf wenige Grundfarben bedienen sich die Knüpfer oft der Farbvariation. Sie stellen die Farben nicht hart gegeneinander, sondern lassen sie in sich angleichenden Tönungen miteinander verfließen. Durch eine Reliefbildung wird ein Verschwimmen der Muster, bedingt durch die Farbübergänge, vermieden. Bei alten Teppichen tritt die Plastizität des Reliefs nur sichtbar zutage; sie ist kaum spürbar, streicht man mit der Hand über den Flor. Die Reliefbildung wurde bereits durch das Einziehen längerer Knoten erreicht. Erst in späterer Zeit ließ man einen gleich hohen Flor stehen, der dann durch die Schur seine unterschiedliche Höhe erreichte. Erst in der Neuzeit bildete sich die bereits erwähnte hochplastische Schur heraus, die das Muster überbetont und den Teppich unruhig erscheinen läßt.

Die begrenzte Farbskala gilt nur für den klassischen chinesischen Bodenteppich. Alle anderen Knüpfarbeiten, seien es Wandteppiche, Säulenbehänge, Sitzkissen oder Satteldecken, zeigen eine weitreichende Palette, in der oft leuchtende Farben vorherrschend sind. Da die Farbe für den Chinesen rituelle Bedeutung besaß, treten oft erstaunliche Kompositionen auf, helle und dunkle Töne werden hart gegeneinander gestellt, verschmelzen aber zu einer Einheit, die immer ausgewogen ist.

Nicht anders als beim orientalischen Teppich speisen sich die Motive des chinesischen Teppichs aus unterschiedlichen Quellen. In der Entwicklung der chinesischen Kunst bildet der Tep-

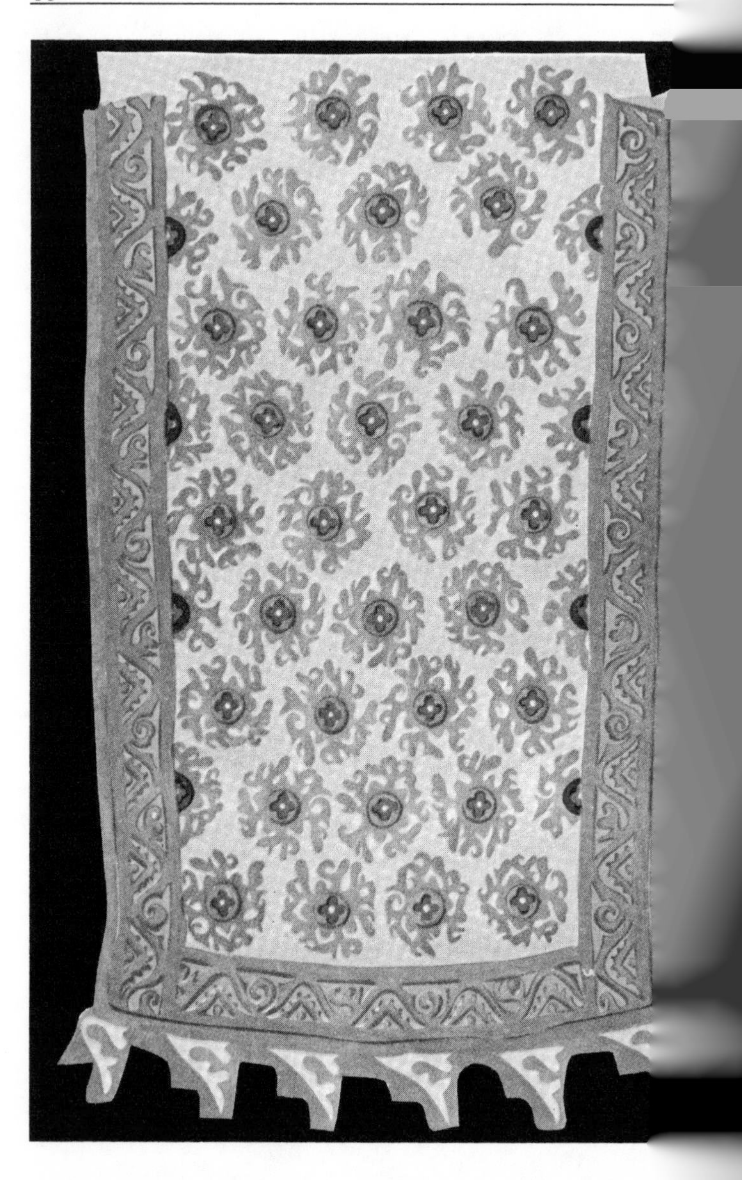

Abb. 13 Ornamental gemusterter Filzteppich (Satteldecke). Fund im Pazyryk-Kurgan (Altaigebiet) aus dem 5. bis 3. Jahrhundert v. Chr. Eremitage, Leningrad

pich eine Art von Endprodukt. In ihm spiegelt sich eine über Jahrtausende reichende Ausformung künstlerischen Denkens wider. Es gibt Motive, deren Ursprung in den Bronzen der Han-Zeit (206 v. Chr.–220 n. Chr.) zu finden ist, während andere die Denkformen des Konfuzius (551–479 v. Chr.) wiedergeben oder buddhistische Symbole beinhalten. Vor allem die buddhistische Religion und der Taoismus ließen eine Vielfalt von Symbolen entstehen, die in den Teppichmustern abgebildet wurden. Der chinesische Teppich ist weit mehr ein Symbolträger als der orientalische. Was der Mensch des Abendlandes als ästhetisch empfindet, wurde nicht allein um der Schönheit willen so gestaltet. In einem Teppichmuster wurden Symbole in einer wohlüberlegten Anordnung und Farbkomposition abgebildet. Die Harmonie, die ein solcher Teppich in seiner Zeichnung aufweist, ist eine Randerscheinung; in ihr drückt sich das Schönheitsempfinden der chinesischen Gestalter aus. Viele der Kompositionen folgten dem Beispiel, das die chinesische Tuschmalerei in reichem Maße bot.

Vor dem Knüpfteppich gab es in China zwei textile Erzeugnisse, deren Tradition er fortsetzt und ergänzt. Es waren die Filzteppiche und die Seidenwebereien. Filzteppiche gab es mit Sicherheit bereits vor der Zeitenwende, das haben die Funde im zentralasiatischen Altai-Gebirge bewiesen (Abb. 13). Neben dem frühesten Knüpfteppich fanden sich in den Kurganen von Pazyryk Teppiche und Pferdedecken aus Filzgeweben, die applizierte Muster trugen. Neben realistischen Abbildungen von Tieren und Menschen finden sich bereits Motive, die später von der Teppichknüpferei übernommen werden. Es sind blütenförmige Ornamente, die in versetzten Reihen angeordnet sind. Das Mittelfeld der Applikation wird von einer andersfarbigen Bordüre umrahmt, in der sich stilisierte Blüten mit einem Wellenmuster abwechseln. In der formalen Gestaltung dieser Filzarbeiten, in der Aufteilung von Fond und Bordüre, liegen die Anfänge, die die Mustergestaltung der späteren Teppiche bestimmten.

Erst in der Neuzeit begann China seiner kulturellen Vergangenheit die gebührende Wertschätzung entgegenzubringen. Bis in das 19. Jahrhundert hinein war jede neue Dynastie bemüht, die kulturellen Leistungen der Vorgänger herabzumindern, was oft genug in einer haltlosen Zerstörung wertvollster Kunstwerke endete. Das Nachbarland Japan wurde bereits in der T'ang-Zeit zum Bewahrer chinesischen Kulturgutes und ist es bis in die Gegenwart geblieben. Die Berichte der chinesischen Annalen über das Vorhandensein von erlesenen Filzteppichen werden durch noch heute vorhandene Stücke, die sich in Japan befinden, belegt. Die Kaiserin Komyo stiftete im Jahre 756 dem Tempel Todaiji das gesamte königliche Hausgerät. Es geschah um des Seelenheiles ihres verstorbenen Gatten Shomu willen. Später kamen diese Stücke in die Sammlung des Shosoin. Zum Hausrat der Königin gehörten zwanzig chinesische Teppiche aus Wollfilz, die bereits jene strenge Ornamentik aufweisen, die die späteren Knüpfteppiche tragen.

Wann der Filzteppich durch den geknüpften Bodenbelag ersetzt wurde, ist, wie bereits gesagt, nicht klar auszumachen. Aus der Zeit der Yüan-

Dynastie (1280–1368) sind nur schriftliche Aufzeichnungen bekannt, nach denen im Jahre 1262 Knüpfteppiche in den kaiserlichen Werkstätten gearbeitet wurden. Es ist wohl möglich, daß den Mongolen Knüpfer aus Zentralasien folgten, um den Hof mit diesen Kostbarkeiten zu versorgen. Bis heute haben sich aber keine geknüpften Teppiche gefunden, die dieser Epoche einzuordnen sind. Bewiesen ist nur, daß die Herstellung von Filzteppichen gegen Ende des 17. Jahrhunderts eingestellt wurde; sie hatten einen würdigeren Nachfolger gefunden.

Abb. 14 Kamel mit Musikantengruppe mit einem Knüpfteppich als Satteldecke. Bemalter Ton, Grabbeigabe der T'ang-Zeit (618–907), Provinz Shansi.

Wie schwierig es ist, eine Beurteilung abzugeben, ob es sich bei frühen Funden um Filz- oder Knüpfteppiche handelt, wird durch zwei Grabbeigaben bewiesen. Sie werden um 723 datiert, entstammen also der T'ang-Zeit; gefunden wurden sie in der Provinz Shangsi. Es sind zwei Tonplastiken in Form von Kamelen, auf denen jeweils eine Gruppe von Musikanten sitzt. Das eine Kamel trägt auf dem Sitzpolster einen lang herabhängenden Teppich, dessen Muster so angelegt ist, daß er den Eindruck eines Knüpfteppichs erweckt. Er ist blau, gelb, grün, braun und weiß gestreift; der Fond wird von einer Ringleiste umrahmt, die in ihrer Prägung den Eindruck eines plastisch geschorenen Flors vermittelt. Eine breite Fransenborte umrahmt die Satteldecke (Abb. 14).
Der Sattel des zweiten Kamels ist mit einer Decke gleicher Größe geschmückt. Der Fond dieses Teppichs zeigt ein Rautenmuster, dessen unterschiedliche Farbstellung vom Maler nur flüchtig angedeutet ist. Die Farbtöne sind die gleichen wie im vorangegangenen Teppich. Eine Bordüre ist nicht vorhanden, den Randabschluß bildet ebenfalls eine umlaufende Franse (Abb. 15).
Beide Musterstellungen, der Streifen und die Raute, sind nicht den Filzteppichen entlehnt. Das Streifenmuster erinnert eher an frühe Seidenwebereien, doch sprechen die plastische Bordüre und die durchgezogenen Rauten weit mehr für einen Knüpfteppich. Da es sich um Grabbeigaben eines Kaisers handelt, könnte mit diesen Plastiken ein gewisser Beweis erbracht sein, daß es in begrenzter Menge in dieser Epoche bereits geknüpfte Teppiche gab.

Die Muster der chinesischen Teppiche sind um ein Vielfaches überschaubarer als die der orientalischen Knüpfarbeiten. Sie bieten eine geschlossene Einheit, die weitgehend überregional ist. Mit dem Entstehen der Manufakturen bildeten sich wohl gewisse Zentren heraus, die sich auf einen Teppichtyp spezialisierten; doch besteht die Möglichkeit, daß ein Teppich gleicher Zeichnung anderen Orts hergestellt wurde. Es gibt weder landschaftsbedingte Muster, noch solche, die einer bestimmten Volksgruppe zu-

Abb. 15 Kamel mit Musikantengruppe, sitzend auf einem Knüpfteppich. Bemalter Ton, Grabbeigabe der T'ang-Zeit (618–907), Provinz Shansi.

geordnet werden können. Der einzige Unterschied tritt in der Verwendungsform zutage. Bei der Mehrzahl der zweckgebundenen Knüpfereien kann davon ausgegangen werden, daß sie in der Hausknüpferei entstanden. Große, dekorative Boden- und Wandteppiche sind den Manufakturarbeiten zuzuordnen.

Die Musterpalette läßt sich überschaubar in sechs Gruppen gliedern:
A Geometrische Muster
B Traditionsgebundene Muster
C Muster des Taoismus
D Muster des Buddhismus
E Originale od. abgewandelte Schriftsymbole
F Dem Pflanzenreich entlehnte Symbole

A Geometrische Muster

Diese Gruppe von Mustern gehört zu den ältesten, die sich bereits auf den Bronzen der Shang-Zeit (ca. 1500–1050 v. Chr.) finden. Die linearen Zeichen fanden vor allem in den Bordüren Verwendung, anfangs in einfacher, später in abgewandelter Form (Abb. 16).

Die *Perlborte* (chu-pien) dürfte die früheste Dekorationsform gewesen sein, die in heller Farbe auf dunklem Grund eine Randumrahmung bildete; ein Beispiel bietet die Kameldecke. Später wurde die Perlborte zur Trennlinie, die zwischen dem Fond und der breiteren Bordüre eine Abgrenzung schuf. Die Perle galt in China seit alters her als eine besondere Gabe der Natur, vor allem dann, wenn sie eine vollendete Rundung und einen guten Glanz aufwies. Im Buddhismus wurde ihre Bedeutung ausgeweitet, sie wurde zur wunscherfüllenden Perle, die dem Glück verhieß, der sie besaß. Als solche fand sie auch Eingang in die Symbolwelt der Teppichmuster, wo sie als runde Scheibe, oft abgestuft mit schillernden Glanzeffekten, erscheint.

Die *Chinesische Linie* (han-wen) gehört ebenfalls zu jenen Mustern, die seit frühester Zeit auf Keramiken und Bronzen als Schmuckelement Verwendung fanden. Es gibt sie in zahlreichen Abwandlungen, so als T-Muster oder in der sogenannten Schlüsselform. Auch dieses geometrische Muster gehört zu den typischen Bordürendekoren chinesischer Teppiche.

Die *Wiederkehrende Linie* (hui-wen) ist eine Abwandlung der *Chinesischen Linie*. Sie ist als Bordürenzeichnung vorhanden und tritt daneben in abgewandelter Form im Fond auf. Als Mittelornament umrahmt sie meist eine einzelne Blüte, bei größeren Teppichen tritt dieses Ornament oft in dreifacher Anordnung auf. Ein Viertel des Gesamtornamentes füllt als Dekor die vier Fondecken.

Das *Würfelmuster* (shai-tzu-kuai) fand vor allem in der Hausknüpferei Verwendung. Es war ein leicht zu knüpfendes Muster und erlaubte unendliche Abwandlungen, die bis zur Raute reichten. Bereits im Wechsel von zwei Farben verlieh dieses Muster einem Teppich ein individuelles Aussehen.

Die *Kreismuster* (chin ch'ien) werden auch als Zeichen der *Goldenen Münzen* gewertet. Diese Muster treten bereits vielfarbig auf in diversen Abwandlungen. Als *Goldene Münzen* werden sie bezeichnet, wenn sich in der Mitte des Kreis-

Geometrische Muster

Perlborte (chu-pien)

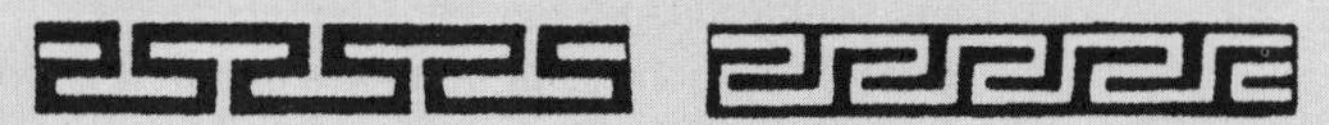

Chinesische Linie (han-wen)

Wiederkehrende Linie

Würfelmuster (shai-tzu-kuai)

Kreismuster (chin ch'ien)

Abb. 16
Geometrische Muster

Swastika (wan-tzu)

im Rechteck

Swastika-Bordüre

Swastika-Feldmuster

diagonal

Diagonale Swastika-Bordüre

Swastika-Bordüre

feldes eine rechteckige Öffnung andeutet, die bei alten Münzen vorhanden war.
Zu den bekanntesten und typischsten chinesischen Mustern in geometrischer Form gehört das *Swastika* (wan-tzu), ein mit Haken versehenes Kreuz. Es ist eines der Glück verheißenden Symbole, das in der Verbindung mit anderen Zeichen »Zehntausendfaches Glück« herbeizaubern soll. Das *Swastika* kann als freistehendes Kreuzzeichen vorhanden sein; die abgewandelte Form zeigt es oft in einem Rechteck unterschiedlichster Art. Im Fond von Teppichen erscheint dieses Motiv eingebettet in ein Liniennetz, das entweder rechteckig oder diagonal angelegt ist. Vor allem wurde das *Swastika* als Bordürenzeichnung gebraucht, auch hier in den Abwandlungen, die in der Fondzeichnung gebräuchlich sind.
Die *Chinesische Linie,* die *Wiederkehrende Linie* und das *Swastika* werden bei der Beschreibung chinesischer Teppiche, ungeachtet ihrer unterschiedlichen Herkunft und Bedeutung, verallgemeinernd als *Mäanderbordüre* bezeichnet. Diese aus dem Altgriechischen stammende Bezeichnung benennt nicht mehr als eine rechtwinklig gebrochene Linie, eine Schmuckform, die seit der Jungsteinzeit weltweit verbreitet ist. In der griechischen Kunst wurde sie zu einem beherrschenden Schmuckelement in der Gestaltung von Friesen und erlebte nochmals im europäischen Klassizismus einen Höhepunkt. Sicher ist es nicht verkehrt, die Bezeichnung *Mäanderborte* beim chinesischen Teppich zu gebrauchen, doch es wäre selbstverständlich besser, die aus dem Chinesischen stammenden Definitionen zu verwenden.

B Traditionsgebundene Muster

Unter traditionsgebundenen Mustern wird eine Gruppe von Motiven verstanden, die im Zusammenhang mit dem Kult des Konfuzius steht (Abb. 17). Dabei geht es nicht um Motive, die von diesem chinesischen Philosophen neu geschaffen wurden. Es gab sie lange vor seiner Zeit; er erweckte sie jedoch zu neuem Leben und verlieh ihnen eine neue Wertigkeit. Konfuzius wurde im Jahre 551 v. Chr. im Staate Lu geboren, war also ein Zeitgenosse des Pythagoras. Er entwickelte eine Philosophie, die auf der Bewahrung der Überlieferung basierte. Von seinen Schülern wurde seine Lehre im »Buch der Gespräche« (lun-yü) aufgezeichnet. Die Lehre gipfelte in der Verehrung des Himmels, der Erde und der Kräfte der Natur; Tugend und Sittlichkeit sollten das Verhalten des Menschen bestimmen. Mit Konfuzius tritt eine Rückbesinnung auf die alte Symbolwelt ein; ihre bildhafte Darstellung wird zum beherrschenden Element der Kunst und bleibt es bis in die Gegenwart.

Zu den ältesten Motiven der chinesischen Mythologie gehört der *Drache* (lung). Entstanden ist er aus einer Vorstellung, die unterschiedliche Tiere zu einem Mischwesen vereint. Aus einem Froschbauch ragt ein Schlangenhals heraus, der den Kopf eines Kameles trägt, geschmückt mit einem Hirschgeweih. Die Augen sind einem Hasendämon entlehnt, der Körper ist mit Fischschuppen bedeckt, die Klauen stammen vom Adler oder Falken. Unter den Fabeltieren gilt der Drache als erstes der vier Wundertiere, unter den 360 Schuppenträgern der chinesischen Mythologie ist er der oberste.

Traditionsgebundene Muster

Abb. 17
Traditionsgebundene Muster

Himmelsdrache (t'ien-lung)

Donnerlinie (lei-wen)

a) Schriftzeichen für den Donner
b) Weiterentwicklung
c) und d) Dekorative Abwandlungen der Form b

Donnerlinie als Bordürenzeichnung

Wolkenmotiv
(yün-wen)

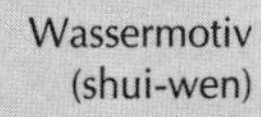

Wassermotiv
(shui-wen)

Wolkenbordüre
(Yün tou-erh)

Wellenmotiv

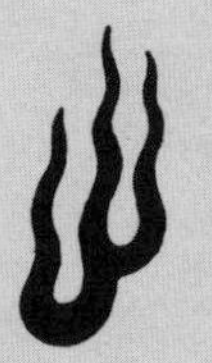

Licht- und
Feuerzeichen

Gebirge und
Felsen

Männliches (yang) und
weibliches (yin) Zeichen
des Seins (tai-chi-t'u),
umrahmt von den
Acht Triagrammen der
Göttlichkeit (pa-kua)

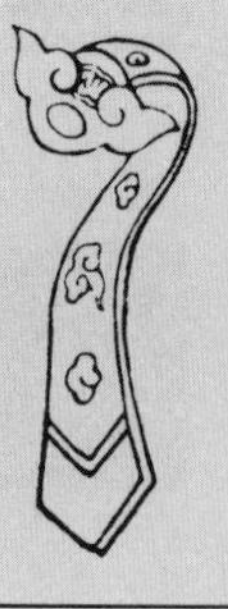

Zepter (ju-i)

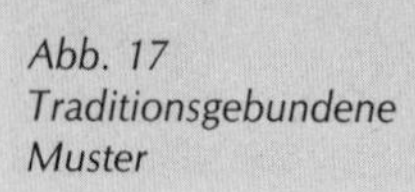

Abb. 17
Traditionsgebundene
Muster

Er verkörpert das Symbol des yang, des männlichen, zeugenden Prinzips. Als blaugrüner Drache (ch'ing-lung) verkörpert er den Osten mit dem Sonnenaufgang, den Frühling und den Regen, also alle positiven Aspekte der Natur. In anderer Farbzusammensetzung und mit bestimmten Attributen wandelt sich seine Bedeutung. Er tritt mit oder ohne Hörner, umgeben von Wolken, als Himmelsdrache (t'ien-lung) auf; zwischen Flüssen und Bergen wird er zum Erddrachen (ti-lung). Weiter gibt es den Geisterdrachen (shen-lung) und den schatzhütenden Drachen (fu-ts'ang-lung), der oft in einem Kreis von Kostbarkeiten thront.
Bis zum Ende der Ch'ing-Dynastie im Jahr 1912 durfte der fünfklauige Drache nur als Schmuckform des kaiserlichen Haushalts verwendet werden. Diese Anordnung galt auch für die Teppichknüpferei. Ausgehend von dieser Bestimmung, begann der internationale Teppichhandel jedem Stück, das in seiner Zeichnung einen fünfklauigen Drachen aufwies, den Namen »Palastteppich« zu geben, oft mit dem Zusatz, daß dieser Teppich aus dem kaiserlichen Haushalt stamme. Dieser Hinweis dürfte nur für einen geringen Teil dieser Teppiche zutreffen. Selbst unter Berücksichtigung des immensen Umfanges des chinesischen Hofes dürften nicht diese Mengen von Teppichen vorhanden gewesen sein. Ein großer Teil der echten Palastteppiche wurde nach 1912 nach Amerika verkauft, viele davon befinden sich heute in Museen. Daneben dürften aber mit Erlaubnis des Kaisers schon im 19. Jahrhundert Teppiche mit diesem Drachen für den Export geknüpft worden sein, denn man hatte erkannt, welches Interesse an ihnen be-

stand. Tatsache ist, daß viele der alten Teppiche mit dem fünfklauigen Drachen von erstklassiger Qualität sind und eine klassische Musterzeichnung aufweisen. In diesem Sinne darf man sie durchaus mit der Bezeichnung »Palastteppich« belegen, auch wenn sie ihren eigentlichen Zweck nie erfüllt haben.

Das Drachenmotiv findet sich im chinesischen Teppich in allen Variationen und unterschiedlichster Anordnung. Der Drache kann als Einzelfigur die Fondmitte ausfüllen, meist erfolgt in den Fondecken eine Wiederholung in verkleinerter Form. Bei großformatigen Teppichen treten Drachen auch in einer breiten Bordüre auf. Gemeinsam mit dem Drachen findet sich oft der Phönix. Er gehört seit frühester Zeit zu den Schmuckformen Zentralasiens. Vereint mit dem Drachen, gilt er als Glückssymbol.

Die *Donnerlinie* (lei-wen), fälschlich als eine Form der Mäanderborte bezeichnet, leitet sich von einem ursprünglich spiralförmigen chinesischen Schriftzeichen ab. In der Schriftentwicklung wurde es zu einem rechteckigen Zeichen, das paarweise miteinander verbunden wurde. Der Unterschied zu einer Mäanderborte besteht darin, daß diese Zeichen stets einzeln stehen und nicht in einer fortlaufenden Linie verbunden sind.

In der Abbildung des vorangegangenen Drachenmotivs ist die Donnerlinie noch in ihrer alten Form erkennbar. Inmitten des Drachens befindet sich ein rundes Zeichen, das als Perle gedeutet wird. Zugleich entsteht der Eindruck eines sich drehenden Rades, dessen Bewegung von Donner begleitet wird und von leuchtenden Flammen. Der Gedanke an eine Erleuchtung ist gegeben. Eine andere Erklärung sieht in der Perle eine Metallplatte, durch die der Donner ausgelöst wird. An diesem Beispiel zeigt sich die vielschichtige Symbolik, die in einem einzigen Teppichmotiv verankert ist.

Das *Wolkenmotiv* (yün-wen) gehört zu den bevorzugten Motiven in chinesischen Teppichen, und sein Vorkommen deutet immer auf ein Teppichmuster, das chinesisch beeinflußt wurde. Das gilt vor allem für Knüpfarbeiten, die im zentralasiatischen Raum entstanden. Die Formen des Wolkenbandmotivs sind sehr unterschiedlich. Sie reichen von der einfachen geschwungenen Linie in unterschiedlicher Tönung bis zu blüten- und sternförmigen Gebilden; ihre größte Ausdehnung erhalten sie als Eckornament. Vor allem in den Drachenteppichen treten Wolken als Umrahmung des Zentralmotivs auf und als ornamentale Bordüre (yün tou-erh) in vielen Abwandlungen.

Das *Wassermotiv* (shui-wen) wird durch farblich abgestufte Halbkreise dargestellt, die einander überlappen. Als Einzelmotiv tritt es zu dem aus dem Wasser aufsteigenden Drachen. In Form der Bogenkante bildet das Wasser den Fondabschluß zur Bordüre hin. Das dem Wasser zugeordnete Wellenmotiv wird oft mit dem Gebirgsmotiv verwechselt. Beim Wellenmotiv ist die schräg nach oben angelegte Strichzeichnung gerade, einzelne Linien überschneiden sich. An den Spitzen der Wellen sind kleine Wolken gelagert, die aber in dieser Verbindung die Schaumkämme der Wogen versinnbildlichen.

Das *Lichtmotiv* wird als ein runder Flammenball abgebildet, das *Feuerzeichen* ist eine züngelnde Flamme, die einzeln oder gebündelt erscheint.

Gebirge und Felsen sind in ihrer Darstellung der Tuschmalerei entlehnt; sie ragen von Wasser und Wellen umgeben aus dem Untergrund auf und sind vor allem in den Teppichen zu finden, die den Drachen des Gebirges als Zentralmotiv tragen.
Das männliche (yang) und das weibliche (yin) Zeichen des Seins (Tai-chi-t'u) ist in allen Teppichen vorhanden, in denen kosmologische Darstellungen zum Ausdruck gebracht werden. Dieses Symbol gehört zu den ältesten Chinas; es umfaßt in seiner Dualität die Existenz des gesamten Universums. Yin verkörpert das weibliche Element, seine Farbe ist dunkel; Yang, in heller Farbe, stellt die männliche, produktive Kraft dar.
Umgeben wird das Yin-Yang-Symbol von den *Acht Trigrammen der Göttlichkeit* (pa-kua). Diese Trigramme werden in der ältesten Form der chinesischen Schrift dargestellt. Es sind Zeichen, die aus geschlossenen (männliche Potenz) und unterbrochenen Linien (weibliche Potenz) zusammengesetzt sind. Die drei geschlossenen Linien bedeuten, im Uhrzeigersinn gelesen, ch'ien = NW (Himmel); tui = W (Wasser, See, Dampf); k'un = SW (Erde); ken = NO (Berg); k'an = N (Wasser); li = S (Feuer, Hitze, Licht); chen = O (Donner); sun = SO (Wind).
Das *Zepter* (ju-i) ist ein hakenförmiges Gebilde, das in einem Wolkenkopf endet. Bekannt ist dieses Zeichen als ein in allen Sammlungen vorhandener Ritualgegenstand, der vorrangig aus Jade geschnitzt wurde. Er war ein Attribut der Götter des Himmels; sein symbolischer Sinn in der Zeichnung eines Teppichs besagt, daß dem Besitzer dieses Stückes alles glücken möge.

C Muster des Taoismus

Der Taoismus (tao = der Weg) war eine Lehre, die bereits vor Konfuzius bestand. Dieser nahm sie in seine Philosophie auf und sah in dem Weg den Weg des Himmels, der dem des Menschen entsprechen müsse. Begründet wurde der Taoismus von dem Philosophen Laotze (geb. 604 v. Chr.). Er deutete den Begriff *tao* als göttliches Urwesen, aus dem die Welt entstand und in das alle Wesensheiten wieder zurückkehren. Die aus dem Taoismus entstandene Religion gleichen Namens entwickelte sich zu einer Volksreligion, die noch heute zahllose Anhänger besitzt. Der spätere Taoismus nahm alte schamanistische Bestandteile auf und wurde zu einem Dämonen- und Zauberglauben, dessen Ziel vor allem in einer Verlängerung des Lebens lag. Die Symbolik des Taoismus beinhaltet eine Vielzahl von Zeichen, die Langlebigkeit ausdrücken. Besonders in den Teppichmustern sind diese Symbole in unterschiedlichsten Abwandlungen vorhanden (Abb. 18).

Die *Attribute der Acht Genien* (pa-pao) beziehen sich auf acht unsterbliche Schutzgeister (pahsien); sie waren Schüler des Laotze. In der Malerei werden sie in einer Paradieslandschaft abgebildet, in den Teppichen stehen ihre Attribute stellvertretend für die Person.

Der *Fächer* vertritt Chung Li-chüan, der die Seelen der Toten zum Leben wiedererweckt. – Das *Schwert* mit übermenschlichen Kräften wird Lü Tung-pin zugeordnet. – Der magische *Pilgerstab* und die *Kürbisflasche* werden von Li Tieh-kuai getragen. – Die *Bambuskastagnetten* stehen für Ts'ao Kuo-chiu. – Der Jünger Lan

Die acht Symbole des Taoismus

Der Fächer

Das Schwert

Krücke und Kürbis

Die Bambusklapper

Der Blumenkorb

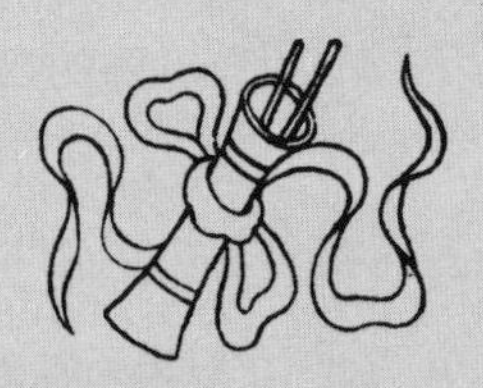

Die Bambustrommel

Die Flöte

Die Lotoshülse

Ts'ai-ho wird durch einen *Blumenkorb* vertreten. – Die *Bambustrommel* ist das Zeichen des Chang Kuo. – Die *Flöte* versinnbildlicht Han Hsiang-tzu. – Die *Lotosblume* steht stellvertretend für Ho Hsien-ku.

Abb. 18 Muster des Taoismus

Der *Phönix* gehört, ebenso wie der Drache, zu den Urmotiven der chinesischen Kunst. In den Teppichmustern tritt er in zwei sehr unterschiedlichen Formen in Erscheinung. In Bildteppichen wird er realistisch abgebildet, meist im Fluge und in Verbindung mit dem Wu-tung-Baum, der als seine Heimstatt gilt. Aus dem Phönix entwikkelte sich der Sagenvogel (feng-huang), in dem sich das Symbol des Weiblichen (yin) personifiziert. Die Zusammensetzung seines Namens aus feng (= Männchen) und huang (= Weibchen) versinnbildlicht aber zugleich die kosmischen Doppelkräfte, aus deren Wechselwirkung sich das Universum gestaltet. Der Sagenvogel ist, gleich dem Drachen, ein Konglomerat unterschiedlicher Tiere. Auch er trägt einen Drachenleib mit einem Fischschwanz, auf dem Hals einer Schildkröte sitzt der Kopf eines Fasans mit dem Schnabel einer Schwalbe. Vielschichtig wie die Gestalt ist die Bedeutung. Der Sagenvogel ist das Zeichen der geschlechtlichen Vereinigung, zugleich aber das Emblem der chinesischen Kaiserin. In der Vereinigung mit dem Drachen gilt der Sagenvogel als segenspendendes Zeichen; beide Tiere bilden das Zentralmotiv vieler Teppiche. Eine andere Form bildet zwei Fabelphönixe ab, die in der Yin-Yang-Form verschlungen sind.

Der *Hirsch* (lu) gehört zu den ältesten Motiven Zentralasiens. Er taucht erstmalig im Bronzetierstil auf; seine Verbreitung reicht vom Ordosgebiet über den Altai und Luristan bis in die Donauländer. Der Hirsch war das Zentralmotiv der Pazyrykteppiche. Ob sein Vorkommen in den chinesischen Teppichen eine Übernahme oder eine Eigenschöpfung ist, bleibt ungeklärt. Im Rahmen der taoistischen Symbole ist der Hirsch ein Vermehrer des Wohlstandes; trägt er den magischen Pilz (ling-chih-ts'ao) in seinem Maul, so gilt er zusätzlich als Zeichen der Langlebigkeit. Sie sollte mit dem Verzehr dieses Pilzes gewährleistet sein.

Die Hoffnung auf ein langes Leben manifestiert sich vor allem in dem Symbol des *Kranich* (hsien hao). Die Mythen verleihen ihm ein Leben von Tausenden von Jahren; nach seinem sechshundertsten Lebensjahr nimmt er nur noch flüssige Nahrung zu sich; nach zweitausend Jahren trägt er ein schwarzes Federkleid. Hirsch und Kranich treten im Teppichmuster meist gemeinsam auf.

Der *Pfirsich* (t'ao) fehlt auf keinem Teppich, dessen Muster von taoistischen Symbolen bestimmt ist. Er gilt als die Frucht des Lebens schlechthin; von ihm ernährten sich die Acht Unsterblichen.

D Muster des Buddhismus

In den ersten Jahrhunderten nach der Zeitenwende wurde der in Indien entstandene Buddhismus zur Religion Chinas. Die Sinnbilder dieser neuen Religion bestimmten weitgehend die Entwicklung der Kunst. Das bedeutet aber nicht, daß durch sie die bisherige Symbolwelt abgelöst wurde. Bestehendes und neu Hinzugekommenes wurden miteinander vereint, und viele der Motive, ob aus Philosophie oder Religion, wurden ihres ursprünglichen Charakters entkleidet; sie wurden zu ungebundenen Glaubenssymbolen mit Inhalten, die sich weit mehr auf das reale Leben bezogen als auf ein Leben nach dem Tode. Der im Chinesen tief verwurzelte Glaube an Magie gewann in der nicht rein religiösen Kunst die Oberhand. Vor allem in den Dingen des täglichen Gebrauchs, und zu ihnen gehörten die Teppiche, wurden die Symbole zu Wahrzeichen, die das Leben erleichtern, verschönern und verlängern helfen sollten.

Zum Schutzgeist des Buddhismus wurde in China ein Fabeltier, das oft als Löwe bezeichnet wird, in seiner eigentlichen Bedeutung aber ein Hund ist. Es ist der *Fo-Hund* (shih-tzu), der langmähnige Löwenhund (Abb. 19). Er gilt als Ver-

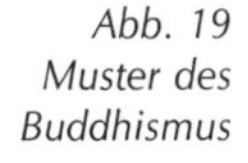

Abb. 19
Muster des Buddhismus

Die acht Symbole des Buddhismus

Das flammende Rad

Die Muschel

Der Ehrenschirm

Der Baldachin

Die Lotosblume

Die Urne

Die Fische

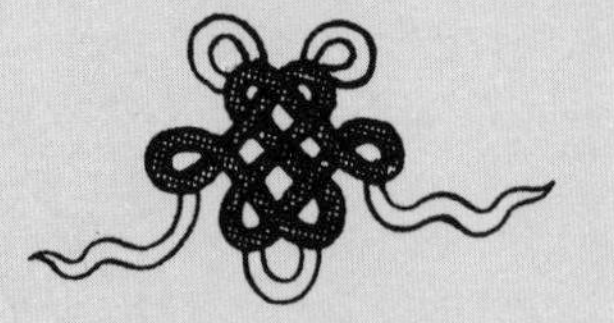

Der endlose Knoten

teidiger des Glaubens und steht paarig vor allen buddhistischen Tempeln; männlich wird er mit einer Kugel, auf die er eine Pfote stützt, dargestellt, weiblich mit einem Jungen. Auch auf den Teppichen finden sich meist paarige Abbildungen dieser Hunde als Bewacher buddhistischer Symbole.

Abb. 19 Muster des Buddhismus

Stellvertretend für das buddhistische Glaubensgebäude fanden acht Symbole in die Kunst Eingang (Abb. 19). Es sind die *Acht Symbole der glücklichen Weissagung* (pa-chi-hsiang). Das *Rad des Gesetzes* versinnbildlicht die Predigt, die *Muschel* ruft die Gemeinde zur Andacht, der *Ehrenschirm* überdacht die Heilkräuter, der *Baldachin* beschirmt die Lebewesen, die *Lotosblume* ist das Sinnbild der Reinheit, die *Urne* gilt als Symbol der vollkommenen Weisheit, das *Goldfischpaar* verheißt die Erlösung, und im endlosen *Glücksknoten* manifestiert sich eine nie endende Glückseligkeit.

Die Vereinigung aller acht buddhistischen Symbole auf einem Teppich ist selten zu finden. Da es sich bei Knüpfarbeiten, in denen der Symbolgehalt hervorstechend ist, wohl meist um Auftragsarbeiten handelte, sind immer nur einige der Zeichen zu finden. Es sind Motive, deren Sinngehalt dem späteren Besitzer des Teppichs für sein eigenes Leben bedeutsam schien. Die Einheitlichkeit der Symbole, bezogen auf ihren Ursprung, war dabei nicht ausschlaggebend. Man wollte sich magischer Kräfte versichern und scheute sich daher nicht, die Zeichen des Buddhismus zum Beispiel mit dem taoistischen Drachen zu verbinden. Verschiedentlich wurde auch das Achterprinzip auf eine Viererkombination reduziert.

Die acht Kostbarkeiten

Die Perle

Das Geld

Symbol für Sieg

Die Bücher

Das Gemälde

Der Klangstein

Die Trinkhörner

Das Wermutblatt

Ausgehend von den Grundsymbolen des Buddhismus bildeten sich weitere Motive heraus, die in bildhafter Form einen bestimmten Vorstellungskomplex klar umrissen. So entstand eine einheitliche Bildsprache, die als Musterform in die Kunst Eingang fand; in gleich großen Darstellungen wurden diese Motive in die Teppiche eingeknüpft und waren für jeden Wissenden lesbar. Es entstanden Hunderte solcher Symbole, von denen allerdings nur eine relativ begrenzte Anzahl in den Teppichzeichnungen verwendet wurde.

Abb. 20 Muster des Buddhismus

Zu diesen Symbolen gehören die *Acht Kostbarkeiten* (pa-pao), in ihrer Auswahl angelehnt an die magische buddhistische Zahl Acht (Abb. 20). Es sind die *Perle,* die *Münze,* der *Rhombus* – er ist das Symbol des Sieges und des blühenden Staatswesens –, das *Bücherpaar,* das *Gemälde* und der aus Jade geschnitzte *Klangstein,* der die Musik verkörpert. *Zwei Becher* aus Rhinozeroshorn versinnbildlichten indirekt die Langlebigkeit, denn sie erlaubten es, Gifte in Flüssigkeiten zu erkennen. Die letzte der *Acht Kostbarkeiten* war das *Wermutblatt* als Zeichen der Würde.

In späterer Zeit wurden die *Acht Kostbarkeiten* um acht weitere ergänzt. Es waren der *Goldbarren,* der *Silberbarren,* die *Glückswolke,* der *Dreifuß,* der *Goldschuh,* der *Silberschuh* und der *Pilz* der Langlebigkeit.

Die *Vier feinen Künste,* sie werden auch als die *Kostbarkeiten der Literaten* bezeichnet (ch'in-ch'i-shu-hua), sind die *Harfe,* das *Schachspiel, Bücher* und das *Rollbild.* Diese Viererkombination ist meist als Mustereinheit dargestellt (Abb. 21).

Die Symbole der vier Feinen Künste

Die Harfe

Das Schachbrett

Bücher und Schreibpinsel

Aufgerollte Gemälde

Abb. 21
Muster des
Buddhismus

Fledermaus
(pien-fu)

Fledermaus mit Pfirsich
(fu-shou-shuang-ch'üan)

Fledermäuse,
das Zeichen Shou
umrundend
(wu fu p'eng shou)

Zepter
(pi-ting-ju-i)

Drei Früchte
(fu-shou-san-tuo)

Die *Fledermaus* (pien-fu) ist das Symbol der Glückseligkeit. Sie bietet eine Art von Lautrebus, denn der Laut fu bedeutet im Chinesischen Glück. In Verbindung mit dem *Pfirsich* versinnbildlicht die *Fledermaus* Glück und ein ungebrochenes langes Leben; ist sie mit dem *Klangstein* vereint, verheißt sie Glück und Segen.
Das *Zepter* (pi-ting-ju-i) ist das Zeichen des Erfolges. Es wird verbunden mit einem Silberbarren (tael) und einem Schreibpinsel.
Die *Drei Früchte* (fu-shou-san-tuo) sind der Duft der *Finger des Buddha*, der *Pfirsich* und der *Granatapfel*. Der Duftende Finger des Buddha ist eine Zitronenart, die aufgeschnitten abgebildet wird, ihr Inneres zeigt die Form einer greifenden Hand. Dieses Zeichen verheißt Glück, Langlebigkeit, vor allem zahlreiche männliche Nachkommen (Abb. 21).

E Originale oder abgewandelte Schriftsymbole

Die chinesische Schrift leitet sich aus abstrahierten Bildern ab. Für jeden Begriff wurde ein Zeichen entwickelt; es entstand eine Symbolsprache, deren Schwierigkeit in ihrer Lautarmut liegt. Es gibt für eine große Zahl von Schriftzeichen nur einen gemeinsamen Lautwert. Das bedeutet, daß es phonetisch möglich ist, einem Wort eine unterschiedliche Bedeutung beizuordnen. So verbirgt sich in vielen Symbolen, die Eingang in die Teppichmuster fanden, eine Doppelbedeutung. Das gilt ebenso für realistische Darstellungen, wie beispielsweise für die Fledermaus. *Fu* heißt sowohl Fledermaus als auch Glück; so kann das Zeichen Fu stellvertretend für die Fledermaus stehen und umgekehrt die Fledermaus für den Begriff Glück. Dieses Zeichen ist seit prähistorischen Zeiten vorhanden; man nimmt an, daß es aus einer Zusammensetzung der Linien der acht Trigramme entstanden ist. Es ist eines der zwölf Ornamente, die die kaiserlichen Opferkleider schmücken.

Das bekannteste Schriftsymbol ist das Zeichen *Shou* (Abb. 22). Es wird entweder in runder Form dargestellt (yuan-shou-tzu), oder in länglicher (ch'ang-shou-tzu). Beide Symbole stehen für langes Leben und gute Wünsche. Ihr Vorhandensein ist so vielfältig, daß es kaum einen künstlerisch gestalteten Gegenstand gibt, einschließlich der Teppiche, auf dem diese Zeichen nicht zu finden sind.

Abb. 22 Originale oder abgewandelte Schriftsymbole

Das Zeichen Shou, Symbol der Langlebigkeit

runde Form

langgestreckte Form

Das Fu,
Symbol des Glücks

Die Doppelbedeutung chinesischer Worte sei hier nur noch an einigen Beispielen erläutert. Viele der Teppichmotive finden in der sprachlichen Auslegung durch zwei Begriffe ihre Erklärung. Lu heißt sowohl Hirsch als auch reiches Einkommen, p'ing kann Vase, aber ebenso Frieden bedeuten. In dem Wort Schmetterling, hu tieh, bedeutet der zweite Wortteil, tieh, hohes Alter. Das Wort für Fisch lautet yü, in anderer Lesart klingt es wie Überfluß. Als letztes Beispiel sei die Fingerzitrone nochmals erwähnt, fo-shou genannt. Sie wurde zum Glückssymbol durch die Form der Buddhahand, denn das Wort fo für Buddha wird phonetisch zum fu, was wieder dem Begriff Glück entspricht.
Die chinesische Sprache ist voll von Lautrebussen, die zu Wortspielen einladen und die Doppelbedeutung vieler Symbole verständlich machen. Daß sich in der Kunst eine Richtung entwickelte, die das Zeichen über die reale Abbildung stellte bzw. diese auf ein Zeichen reduzierte, ist deshalb verständlich. Ausgehend von der Sprache, war der Chinese geschult im Lesen von Symbolen; in seinen Vorstellungen wurden sie zum komplexen Bild.

F Dem Pflanzenreich entlehnte Symbole

Zu den im Abendland beliebtesten Motiven in chinesischen Teppichen gehören die sehr realistischen Abbildungen von Blüten und Zweigen, oft in dekorativen Vasen als Einzelmuster großzügig angeordnet. In der Darstellung von Pflanzen und Bäumen zeigt sich der chinesische

Teppichknüpfer weit mehr als Maler, als in den anderen Motiven. Hier behält die Vorlage ihre von der Natur gegebene Form; sie wird nicht auf ein reines Symbol reduziert. Das bedeutet aber nicht, daß die Blüte oder der Baum rein dekorative Elemente sind. Mit dieser Aussage würde der chinesische Künstler seine eigentliche Aufgabe verfehlen. Jede Blüte ist ein Symbol; neben der ihr eigenen Schönheit, die das Auge des Beschauers erfreuen soll, sagt sie zugleich etwas aus, das nur der Eingeweihte versteht.

Während im persischen Teppich Blüten- und Blattformen auf reine Musterelemente reduziert werden, wobei ihre Urform oft kaum noch erkennbar ist, gibt es unter den chinesischen Blumenmustern nur eines, das stilisiert erscheint. Es ist das »Einhundert Blütendesign«, das kleine Blütenformen in regelmäßiger Anordnung über den Fond ausbreitet.

Hier seien nur einige der bekanntesten Pflanzen genannt, die als Einzelmotive im chinesischen Teppich vorhanden sind (Abb. 23).

Der *Pfirsichblütenzweig* (t'ao-hua) gilt als Wahrzeichen des Frühlings; seine Blüten bewahren die Frucht des Lebens. Die *Chrysantheme* (chü-hua), als Gegenstück der Pfirsichblüte, versinnbildlicht den Herbst und die Stetigkeit. Chrysanthemen sind die Lieblingsblumen Chinas, und so vielfältig wie ihre hochgezüchteten Formen in der Natur stellen sich auch ihre kunstvollen Abbilder dar. Oft sind sie es, die einem in wenigen Farben gehaltenen Teppich leuchtende Akzente verleihen. Das Zeichen des Winters ist die *Narzisse* (shui-hsien-hua). Sie ist die chinesische Neujahrsblume; als Teppichmotiv wird sie in edel geformten Porzellangefäßen abgebildet.

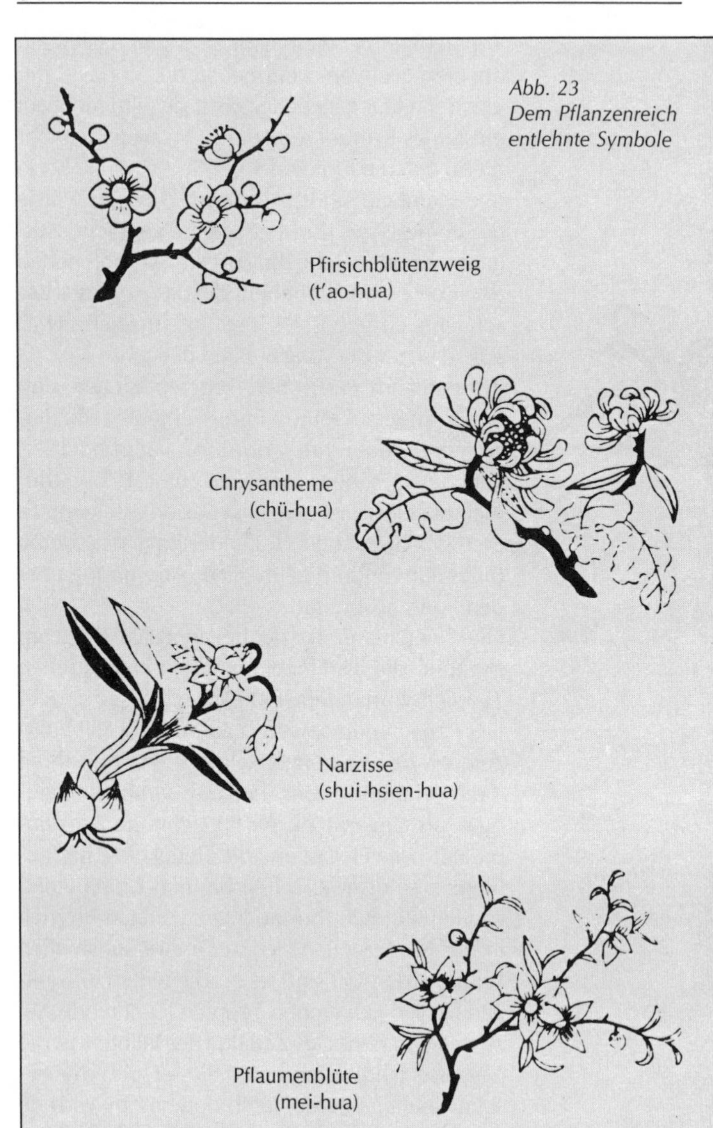

Abb. 23
Dem Pflanzenreich entlehnte Symbole

Orchidee
(lan-hua)

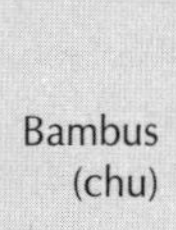

Bambus
(chu)

Päonie
(mu-tan-hua oder
fu-kuei-hua)

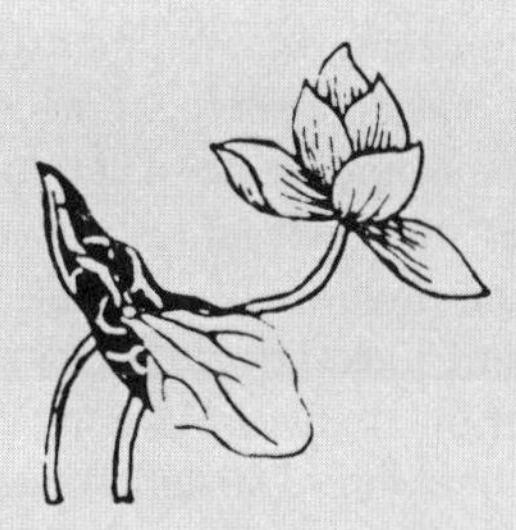

Lotos-Blume
(he-hua)

Als Symbol steht sie für die guten Wünsche zum neuen Jahr.
Die *Pflaumenblüte* (mei-hua) verkörpert die Schönheit; als Teppichmuster tritt sie oft in Form von Rosetten auf, umgeben von einem geometrischen Muster. Die *Orchidee* (lan-hua) steht stellvertretend für den Wohlgeruch. Sie wird immer mit ihren feinen Blättern, oft auch mit sichtbaren Wurzeln abgebildet. Die zarten Blätter dieser Pflanze bilden in vielen Malereien die Vorlage für die Rispen, die das Abendland fälschlich als Gräser deutet. In der chinesischen Landschaftsmalerei gehört der *Bambus* (chu) zu den bevorzugten Motiven, und als solches fand er auch Aufnahme in die Teppichmuster. Auf kleiner Fläche werden seine beiden Eigenschaften, die Härte seines Stammes und das immerwährende Grün seiner Blätter, geschickt komponiert. Seine Widerstandsfähigkeit macht ihn zum Symbol der Langlebigkeit und der ewigen Jugend. Die *Päonie* (mu-tan-hua oder fu-kuei-hua) gilt als Blume des Reichtums und des Ansehens. Sie steht oft als Kontrastblüte zum Lotos oder in Verbindung mit der Chrysantheme, wobei sie dann Reichtum und Ansehen über einen langen Zeitraum hinweg bedeutet.
Die Anordnung von Blumen und Bäumen in Teppichmustern geschieht nie zufällig. Es werden stets Symbolgruppen vereinigt, seien es die Pflanzen, die dem Jahreslauf zugeordnet sind, oder eine andere Gruppe, die im Zusammenhang mit Glück, Erfolg und Langlebigkeit steht. Bei aller dekorativen Wirkung dieser Pflanzenmuster liegt ihrer Darstellung und Komposition zueinander immer ein Sinn zugrunde, der eine bestimmte Aussage vermittelt.

Palastteppich, 19. Jahrhundert. Knoten: Seide; Kette und Schuß: Baumwolle. 340 × 424 cm. Kunsthandel Bernheimer, München.

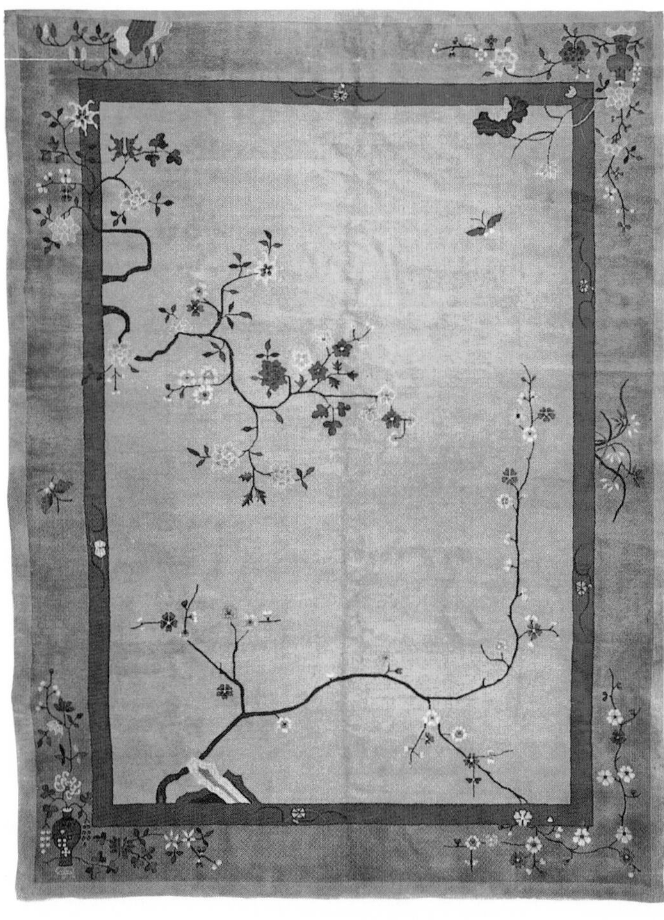

Blütenzweig-Teppich (Mandarin-Teppich).
Anfang 20. Jahrhundert. Knoten: Wolle; Kette und Schuß: Baumwolle.
350 × 270 cm. Privatbesitz.

Bildteppich mit Päonien zwischen Felsgestein. Um 1800.
Blaugrundig in verschiedenen Tönen, rote Blüten an mattbraunem Blattwerk.
Knoten: Wolle; Kette und Schuß: Wolle. 335 × 240 cm.
Österreichisches Museum für angewandte Kunst, Wien.

Im Kreis der Blüten, die den vier Jahreszeiten zugeordnet waren, fehlte die Blume, die den Sommer personifiziert. Sie soll am Ende dieser Betrachtung stehen, nicht weil sie die unwichtigste ist, sondern weil sie zur klassischen Blume Chinas wurde und einer ausführlichen Erläuterung bedarf. Es ist die *Lotos-Blume* (he-hua). Sie ist nicht nur das Wahrzeichen des Sommers, sie ist vor allem die heilige Blume des Buddhismus; im Kelch der Lotosblume ruhen die buddhistischen Gottheiten. Ebenso ist sie eines der Attribute der Acht Genien. Bedeutsam ist diese Blüte aber nicht nur durch ihre Schönheit geworden; sie vereinigt in sich Schönheit und Nützlichkeit, denn ihre Samen und ihre Wurzeln dienen der Ernährung.

Vasenteppich. Mitte 18. Jahrhundert. Knoten: Wolle; Kette und Schuß: Wolle. Ca. 280 × 150 cm. Privatsammlung.

In den Teppichmustern tritt die Lotosblume in vielen Abwandlungen auf, wobei die Naturform zu den am wenigsten dargestellten gehört. In dieser Blume hat sich die ihr vom Buddhismus verliehene religiöse Bedeutung am intensivsten erhalten, was sicher damit in Zusammenhang steht, daß sie ständiges Attribut der Götter ist. Alle buddhistischen Gottheiten entsteigen einer Lotosblüte oder thronen in ihr. So erhielt diese Blüte eine Wertigkeit, die sie aus den übrigen Pflanzen heraushob, was zu einer Stilisierung ihrer Formen führte (Abb. 24). Oft bilden ihre Blätter die Form eines Zepters, oder sie deuten wolkenhaft die Form eines Heiligtums an. In den Bordüren erscheint die Lotosblume in ihrer natürlichsten Form. Randdekore dieser Art blieben nicht auf Teppichmuster beschränkt. Der realistische Lotosdekor erlebte seine Blüte in der Ming-Dynastie (1368–1644) vor allem in der Porzellanmalerei.

Phönix-Medaillonteppich. Um 1800. Knoten: Wolle; Kette und Schuß: Wolle. Ca. 180 × 90 cm. Privatsammlung.

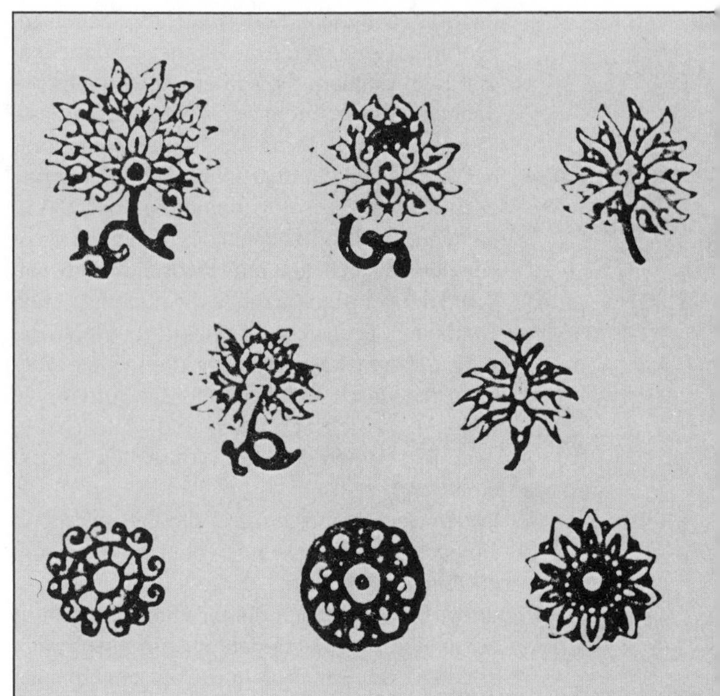

Abgewandelte Formen der Lotos-Blume

Bordüren mit Lotosblumen

Abb. 24
Stilisierung der Lotusblüte

Lotosblumen mit Blattwerk als Fonddekor

Als im 17. und 18. Jahrhundert Porzellane und Teppiche aus China nach Europa gelangten, wurde dieses Motiv zum Vorbild der europäischen Porzellanmaler, sei es in der Abwandlung des Zwiebel- und Strohblumenmusters.
Bei der Zusammenstellung eines Teppichmusters, in dem Pflanzen und Blumen zentrales Thema waren, bot sich den Knüpfern die edel geformte chinesische Porzellanvase als zusätzliches dekoratives Element an. Viele der Blütenzweige entsteigen formschönen Vasen, oft ziert auch eine Vase ohne Blüten den Fond eines Teppichs. Steht sie allein, so ist sie nicht mehr als ein dekoratives Stück, oft gedacht als Gegenpart zu einem anderen Zeichen. Steht die Vase aber gemeinsam mit anderen Symbolen, sie ist dann meist kleinformatig, so vertritt sie das bereits benannte Zeichen p'ing, was sowohl Vase als auch Frieden bedeutet. Dabei kommt der Vasenform noch eine unterschiedliche Bedeutung zu. Trägt sie einen langen Hals, versinnbildlicht sie langen Frieden, sind ihre Formen gerundet, sagt sie Vollständigkeit aus.
Eine Aussage über die Symbolik chinesischer Teppiche wäre unvollkommen, bliebe die Bedeutung der Farben unerwähnt. Die Farbgestaltung ist kein Zufall, sie basiert nicht auf den Intuitionen des Knüpfers. Da die einzelnen Farben, je nach ihrer Zusammensetzung und ihrer Stellung zueinander, ihre Bedeutung wandeln, erscheint es sinnvoller, bei den Teppichabbildungen die Wertigkeit einzelner Farben, soweit sie uns bekannt ist, zu erläutern. Gleiches gilt für die mehrfachen Abbildungen einzelner Symbole, die keine Wiederholung beinhalten, sondern von unterschiedlicher Aussage sind.

Die Fülle der Symbole chinesischer Teppiche erscheint dem Uneingeweihten verwirrend und faszinierend zugleich. Der Verwirrung wird dadurch Einhalt geboten, daß jeder Teppich nur eine Auswahl der vielen Möglichkeiten in seinen Mustern anbietet. Die breite Palette der Motive erlaubte die Beschränkung auf eine Aussage, die in wenigen Zeichen alles umriß, was notwendig war. In der sparsamen Gestaltung der Teppichmuster zeigt sich die ganze Meisterschaft des chinesischen Künstlers; hier ruht die Faszination, die diese Kunstwerke auf uns ausüben. Im chinesischen Teppich gibt es weder Zufall noch Improvisation; er ist in seiner Vollendung den Werken der Malerei gleichzusetzen. Beide Kunstformen beinhalten das Wesentliche und gewinnen damit an Aussagekraft.

Die Himmelsrichtungen und ihre Farbsymbole

Richtung	*Jahreszeit*	*Farbe*
Norden	Winter	Schwarz
Osten	Frühling	Grün
Süden	Sommer	Rot
Westen	Herbst	Weiß
Zentrum		Gelb

Element	*Planeten*	*Metalle*	*Farbe*
Wasser	Merkur	Eisen	Schwarz
Holz	Jupiter	Blei, Zinn	Grün
Feuer	Mars	Kupfer	Rot
Metall	Venus	Silber	Weiß
Erde	Saturn	Gold	Gelb

Antike chinesische Teppiche

Die in diesem Kapitel vorgestellten Teppiche sind nur bedingt in die Kategorie Sammlerteppiche einzuordnen. Die Mehrzahl dieser Teppiche befindet sich in Museen oder in den wenigen privaten Sammlungen asiatischer Teppiche. Im Handel werden Stücke dieses Alters sehr selten angeboten, und wenn, dann zu sehr hohen Preisen. Eine Ausnahme bilden kleinere Knüpfarbeiten wie Sitzpolster oder Decken. Diese gelangten in größeren Mengen im 18. Jahrhundert bereits nach Europa, und es ist noch immer möglich, eines dieser frühen Stücke im Handel zu finden und zu einem angemessenen Preis zu erwerben.

Dem Sammler bietet sich in diesen frühen Teppichen bestes Anschauungsmaterial. Die Musterreinheit antiker chinesischer Teppiche ist bestechend und gibt im Vergleich zu neueren Stükken Aufschluß, wieweit diese sich von den Ursprüngen entfernt haben. Da im chinesischen Teppich bis weit in das 19. Jahrhundert hinein die Muster weitgehend konstant blieben, bietet sich dem Sammler die Möglichkeit, im Vergleich zu klären, wieweit sein Teppich den antiken Stücken verhaftet blieb. Musterzusätze, die erkennbar sind, ermöglichen dann wenigstens eine ungefähre zeitliche und lokale Einordnung des erworbenen Stückes. Beide Erkenntnisse sind bei keinem Teppich so schwer zu gewinnen wie bei dem chinesischen.

Vorab die Klärung der Frage, in welchen Zeitraum der antike Teppich einzuordnen ist. In der musealen Bewertung und im Handel wird allgemein folgende Einteilung angewandt. Teppiche werden als antik bezeichnet, wenn sie vor 1800 entstanden sind. Als alte Teppiche wurden früher die Knüpfereien bezeichnet, die bis in die Mitte des 19. Jahrhunderts entstanden. Diese knappe Zeitspanne basierte auf der Ansicht, daß nach der Mitte des 19. Jahrhunderts im Orient und in Asien Teppiche ausschließlich für den Export hergestellt wurden. Diesen Teppichen sprach man ihre Ursprünglichkeit ab; man betrachtete sie als reine Handelsware. Inzwischen hat man erkannt, daß diese Bezeichnung nur auf einen Teil dieser Knüpfarbeiten angewandt werden kann; die Mehrzahl der Teppiche des vergangenen Jahrhunderts verdient den Begriff der eigenständigen Arbeit. Ungeachtet, ob Exportware oder nicht, legen viele Sammler noch heute ihrem Maßstab die Farbherkunft zugrunde. Für sie sind nur solche Teppiche alt, für die ausschließlich Pflanzenfarben verwendet wurden. Vertritt man diesen Standpunkt, fällt es schwer, eine genaue zeitliche Grenze zu ziehen, denn es gibt durchaus Teppiche, auch solche aus China, die nach 1900 entstanden und bei denen die Wolle Naturfarben aufweist.

In den letzten Jahrzehnten wird als verbindliche Altersgrenze für einen Teppich, der die Bezeichnung alt trägt, das Jahr 1914 angesetzt. Der Handel verfährt mit dieser Begrenzung oft etwas großzügiger. Ein Teppich, dessen Alter mit ca.

fünfzig Jahren anzusetzen ist, wird heute allgemein als altes Stück bezeichnet. Der Sammler sollte diese Altersangabe aber immer mit einer gewissen Vorsicht zur Kenntnis nehmen. Erstens ist sie nur vage bestimmbar, es sei denn der Teppich besitzt eine Datierung und diese ist keine Fälschung, zweitens bedeutet ein höheres Alter immer einen höheren Preis, zumindest in der Vorstellung des Anbieters. Chinesische Teppiche mit einer Altersangabe, also mit einem eingeknüpften Datum ihrer Herstellung, sind nicht bekannt. Da der chinesische Teppich aufgrund seiner lockeren Knüpfung und seiner oft nicht erstklassigen Wollqualität einem intensiveren Alterungsprozeß ausgesetzt ist, täuscht er leicht ein höheres Alter vor. Ein abgetretener und verblaßter chinesischer Teppich muß weder alt geschweige denn antik sein. Er kann nicht mehr sein, als schlecht geknüpfte Exportware, die überstrapaziert und ungünstiger Lichteinwirkung ausgesetzt war. Das oft übertriebene Interesse an dem unbedingt Alten feiert in der Gegenwart wahre Triumphe; das gilt auch für den Teppichmarkt. So wird manches Stück minderer Qualität allein durch seinen schlechten Erhaltungszustand zur Antiquität.

Für den Sammler chinesischer Teppiche ist die Altersbestimmung besonders schwierig. Nur der Vergleich, auch wenn er sich nur bildlich anbietet, mit gesicherten antiken und alten Knüpfereien kann den Sammler so schulen, daß er einen Teppich nach eigenen gültigen Maßstäben bewerten kann. Die hier vorgestellten antiken Teppiche bieten dazu eine Hilfe.

Ungeachtet aller Spekulationen, in welche Epoche der Beginn einer intensiven chinesischen

Teppichknüpferei einzuordnen ist, sei hier als wahrscheinlicher Beginn die Zeit der Ming-Dynastie (1368–1644) genannt und in ihr die sogenannte späte Ming-Zeit, das 17. Jahrhundert. Ob die Teppiche, die von vielen Museen in diese Epoche eingeordnet werden, tatsächlich aus dem Jahrhundert stammen, ist fraglich. Tatsache ist, daß die Teppichknüpferei größeren Umfanges erst in die Epoche der nachfolgenden Ch'ing-Dynastie (1644–1912) einzuordnen ist, also in das 18. Jahrhundert. Verbindlich kann hier nur ausgesagt werden, daß es sich bei den vorgestellten Teppichen um solche handelt, die vor 1800 geknüpft wurden.

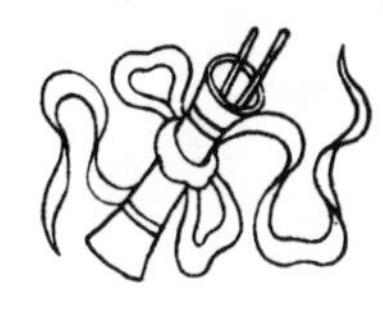

Die Frage, ob die Knüpferei in Heimarbeit zu einem bedeutend früheren Zeitpunkt entstand als die Einrichtung von Manufakturen, ist beweiskräftig nicht zu beantworten. Es liegt nahe, den Vergleich zum Vorderen Orient anzustellen, wo die Heimknüpferei, sei es bei Seßhaften oder Nomaden, zur Hausmanufaktur führte, um in der Großmanufaktur zu enden. China besaß bereits in der Ming-Zeit eine völlig andere Wirtschaftsstruktur, die Bauern und Handwerker streng voneinander trennte. Betrachtet man den Teppich im Rahmen der Gesamtkultur, so ist es für China wahrscheinlicher, daß mit zunehmender kultureller Entwicklung das Bedürfnis, Teppiche zu besitzen, allgemeine Verbreitung fand. Wer es sich erlauben konnte, beauftragte eine Manufaktur mit der Anfertigung eines Teppichs; das einfache Volk knüpfte sich seine Gebrauchsteppiche im Kreis der Familie.

Die Annahme, daß eine Karrendecke, ein Sitzpolster oder eine Satteldecke in einfacher geometrischer Musterung älter sei als ein Teppich mit aufwendigem Muster, ist nicht richtig. Mit Sicherheit gehören die einfachen Muster in die Anfangszeit des Teppichs, nur wurden diese in der Volkskunst länger bewahrt, und ausschlaggebend war wohl vor allem die Handfertigkeit des einzelnen. Einfache rechteckige oder rautenförmige Muster ließen sich leichter einknüpfen als komplizierte. Weiter ist zu berücksichtigen, daß die Hausknüpferei nur über sehr begrenzte Möglichkeiten verfügte, Wolle vielfarbig zu tönen. Viele dieser einfachen Teppiche sind aus ungefärbter Wolle geknüpft, man benutzte dunkle und helle Naturwolle, so wie sie von den eigenen Haustieren kam.

Zunehmender Reichtum breiterer Schichten führte zum Ausbau der Teppichmanufakturen. Bis in das 19. Jahrhundert hinein können die chinesischen Teppiche in zwei Gruppen unterteilt werden. Es gab den Teppich für den alltäglichen Gebrauch der breiten Volksschichten; er wurde anfänglich im Hause geknüpft, später lieferten ihn Kleinmanufakturen. Wer es sich leisten konnte, und das war vor allem das weitverzweigte Kaiserhaus, ließ seine Teppiche in den großen Manufakturen knüpfen. In ihnen entstanden die Teppiche, die dann oft die Bezeichnung Palastteppich tragen, obwohl sie einst nur für das Haus eines Ministers oder eines reichen Handelsherren geknüpft wurden.

Eine Sonderstellung nehmen die Tempelteppiche ein. Ein Teil dieser Teppiche wurde von Mönchen in Klöstern geknüpft. Reiche Tempel, so die des Kaiserhauses, beauftragten die Manufakturen mit der Anfertigung. Seidenteppiche sind ausschließlich Manufakturteppiche. Dieses Material war zu teuer und rar; es blieb nur einem

auserlesenen Kreis, vor allem dem Kaiserhaus, vorbehalten.
Obwohl die Teppiche der Hausknüpferei in der Musterentwicklung am Anfang stehen, werden sie in Beispielen erst unter den alten gezeigt. Die frühesten bekannten Exemplare dieser Kategorie entstammen dem 19. Jahrhundert. Antike Teppiche dieser Art sind kaum bekannt, wofür zwei Gründe anzuführen sind. Diese Teppiche waren einer ständigen intensiven Benutzung ausgesetzt; sie waren Gegenstände des täglichen Gebrauchs und verschlissen relativ rasch. Weiter erklärt sich ihr sehr begrenztes Vorhandensein in den Teppichsammlungen damit, daß man im 18. Jahrhundert, als die ersten Teppiche nach Europa kamen, diesen einfachen Arbeiten kein Interesse entgegenbrachte. Wofür man sich begeisterte, das war der Palastteppich, möglichst in Seide geknüpft, oder der einem Gemälde vergleichbare Wandteppich, der Einblicke in das Leben dieses fernen Volkes ermöglichte.
Unter den ältesten bekannten chinesischen Teppichen finden sich einige, die in ihrer Knüpfung eine Besonderheit aufweisen. Sie sind vielleicht noch der späten Ming-Dynastie, dem 17. Jahrhundert, einzuordnen. In ihnen verbinden sich zwei unterschiedliche Techniken, die Weberei und die Knüpferei (Abb. 25). Diese Übergangs-

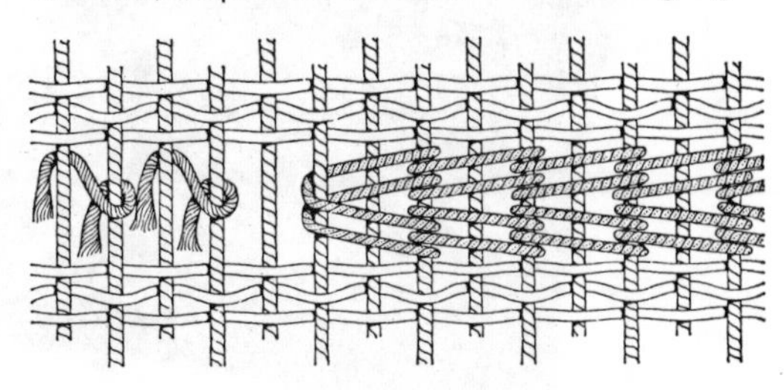

Abb. 25 Technik der Metallfadenbroschierung im chinesischen Teppich.

form gab es in der Türkei, in den persischen Polenteppichen, in Indien und in Ostturkestan. Von dort gelangte diese Technik vermutlich nach China. Diese Teppiche sind nur partienweise geknüpft, die freie Fläche wird von seidenen Schußfäden durchzogen, die mit einer dünnen Gold- oder Silberfolie umwickelt sind.

In diese Gruppe gehört ein antiker Seidenteppich, der nur in seiner Knüpfung und in der Farbstellung als chinesische Arbeit erkennbar ist (Abb. 26). Das Untergewebe besteht aus Seidenfäden, die mit Silberfolie umwickelt sind. Die Grundfarbe der Seideneinknüpfung ist blau, im Blütendekor wird die gleiche Farbe variiert. Der Teppich ist im Sennehknoten geknüpft. Die Florbehandlung verweist auf China. Sie zeigt die Reliefschur, die in Ostturkestan nicht üblich war. Das stilisierte Blütenmuster des Fonds und seine Wiederholung in der Bordüre verweisen auf Ostturkestan; vermutlich wurde dieser Teppich von eingewanderten Knüpfern angefertigt. Sie brachten ihre Mustervorstellungen in die Knüpferei ein, benutzten aber jene Farben, die dem chinesischen Geschmack entsprachen.

Abb. 26 Teppich mit Blütenmuster. Ende 17. Jahrhundert. Knoten: Seide mit eingewirkten Metallfäden; Kette und Schuß: Seide. 249 × 123 cm. Ehem. Sammlung Tiffany, New York.

Ein kleinformatiger Tempelteppich, es kann sich auch um die Decke eines Sitzpolsters handeln, ist in seiner Zeichnung auf geometrische Motive begrenzt (Abb. 27). Die Fondmitte zeigt das geometrisch abgewandelte Drachenmotiv, das durch die Wiederkehrende Linie ergänzt wird. Diese Zeichnung füllt ebenfalls die vier Fondekken. Wie bei vielen kleineren Teppichen wurde auf eine umlaufende Bordüre verzichtet. Die rote Grundfarbe erscheint in einem Kupferton, aus dem die in zwei Blautönen gehaltene Zeichnung heraustritt. Teppiche dieser Art gehören zu

Abb. 27
Tempelteppich mit geometrischem Drachenmotiv.
18. Jahrhundert.
Knoten: Wolle; Kette und Schuß: Wolle.
87 × 75 cm.
Privatsammlung.

den eingangs erwähnten kleinformatigen Gebrauchsteppichen, von denen gelegentlich ein antikes Stück im Handel angeboten wird.
Ein wahrscheinlich um 1700 datierbarer Teppich weist in seinem Fond eine Art von Gitternetz auf, das mit seinen Linien einzelne Felder umrandet (Abb. 28). Jede dieser hakenförmigen Einzellinien stellt ein abgewandeltes Wolkenmotiv dar; in späteren Teppichen wird diese Form vorrangig zum Bordürendekor. Im Inneren der Rechtecke sind im Wechsel ein Paar Fledermäuse und ein Pfirsich eingeknüpft. Die Borte wird von einer Swastikazeichnung gebildet. Die wenigen Farben lassen die Zeichnung des Teppichs nur zögernd heraustreten. Ein gelbliches Braun bildet den Grund, über ihm liegt die blaue Wolkenzeichnung. Fledermäuse und Pfirsich treten nur matt, in einem dunkleren Braun aus dem Untergrund heraus. Die Grundfarben Braun und Blau werden von der Bordüre aufge-

nommen. Symbolischer Inhalt dieses Teppichs ist das Versprechen von Glück und langem Leben, beides wiedergegeben durch die buddhistischen Symbole Fledermaus und Pfirsich.
Von rein geometrischem Dekor bestimmt ist ein in die Ming-Zeit zu datierender Teppich, dessen symbolischer Inhalt ebenfalls Glückseligkeit

Abb. 28 Teppich mit den Symbolen der Langlebigkeit. Um 1700. Knoten: Wolle; Kette und Schuß: Wolle. 198 × 93 cm. Privatsammlung.

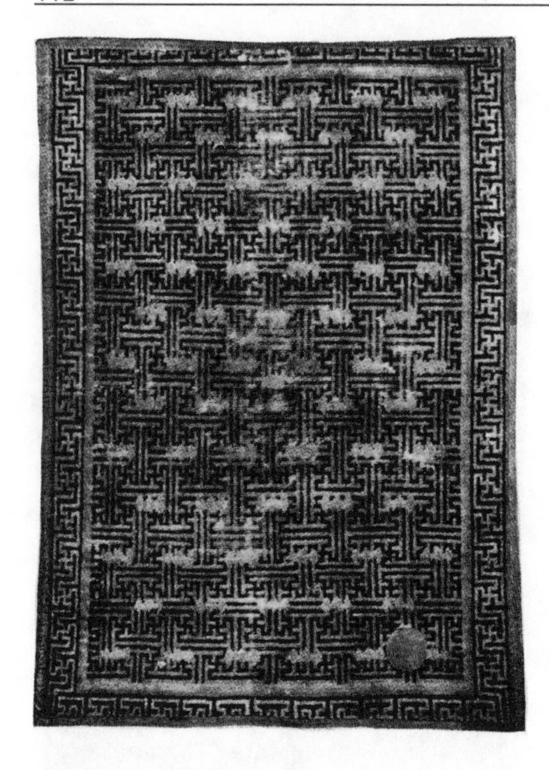

Abb. 29
Teppich mit Glückssymbolen. Um 1700. Knoten: Wolle und Seide; Kette und Schuß: Wolle. 174 × 120 cm. Privatsammlung.

verheißt (Abb. 29). Auf braunem Grund sind zwei Muster vereint. Eine Swastikazeichnung in Blau wird von Fledermäusen in einem anderen Braun unterbrochen und ergänzt. Doch steht hier für das Tier nur das Zeichen »fu« als Glückssymbol. Die Bordüre bildet das reine Swastikamotiv.

Bereits in ihrer Anfangsperiode zeigen die chinesischen Teppiche eine erstaunliche Mustervielfalt. Sie war es, die viele Forscher vermuten ließ, daß die Anfänge der Knüpferei in früheren Jahrhunderten zu suchen sind, nur fehlen dafür bisher die Beweise. Ein gutes Beispiel der Vielfalt ist ein dem 17. Jahrhundert zugeordneter Teppich (Abb. 30). Seine braune Grundfarbe ist zu einem matten Gelb verblaßt. Die Zeichnung tritt in dunklem Gelb, hellem Blau, Beige und ei-

Abb. 30
Abakus-Teppich. Um 1760. Knoten: Wolle; Kette und Schuß: Wolle. 198 × 117 cm. Ehem. Sammlung Tiffany, New York.

nem Aprikosenton aus dem Untergrund. Die Swastikabordüre ist dunkelblau. Die in Reihen angeordneten Motive stellen sakrale und profane Gegenstände dar, teilweise in Formen, die seit der Shang-Zeit bekannt sind. Es sind vor allem Altargeräte, Opfertassen und Kannen, Krüge, Platten und ein Halter für heilige Schriften. Zu den profanen Dingen gehört ein Rollbild, ein Schachspiel und ein Abakus. Der Abakus ist eine einfache Rechenmaschine, deren auf Stangen gezogene Kugeln von einem Rahmen zusammengehalten werden. Rechenmaschinen dieser Art werden noch heute in China benutzt. Da sie des öfteren auf Teppichen vorkommen, gab man diesen Knüpfereien den Namen Abakusteppiche.

Abb. 31 Teppich mit archaischem Drachenmotiv. Ende 18. Jahrhundert. Knoten: Wolle; Kette und Schuß: Wolle. 153 × 93 cm. Privatsammlung.

Der bildhaften Darstellung noch enger verbunden ist ein Teppich ähnlicher Motivgestaltung (Tafel 4, oben). Sein Muster ist quergelagert und lesbar wie ein Rollbild. Aus der braunen verblaßten Grundfarbe des Teppichs treten in hellem Gelb und dunklem Braun vor allem Vasen mit Blütenzweigen und zwei Bonsaibäume heraus. Zwischen den Vasen stehen heilige Gefäße in Form alter Bronzen, Bücher, Rollbilder, Früchte von sakraler Bedeutung und ein Stellschirm. Die Mustergestaltung dieses Teppichs erscheint willkürlich, die Dinge stehen scheinbar beziehungslos im Raum. Was sie verbindet, ist ihre geistige Beziehung zueinander, der Sinngehalt wurde dem Dekorativen unterlegt. Die Einzelmotive, vor allem die Vasen mit den Blüten, wirken in ihrer Ausführung noch recht primitiv. Hier zeigt sich ein Bemühen, das gemalte Bild in die Knüpftechnik umzusetzen, ein Vorhaben, das dem Knüpfer noch nicht vollendet gelungen

ist. Die in diesem Teppich vorkommenden hellen Gelbtöne waren im Ursprung eine Aprikosenfarbe, die verblaßt ist. Die Rückseite des Teppichs zeigt annähernd noch seine einstige Farbkomposition. Der Vergleich der Farben der Vorder- und der Rückseite eines Teppichs kann einen bedingten Aufschluß über sein Alter geben. Dabei ist aber zu berücksichtigen, daß fast alle Naturfarben relativ rasch verblassen.
Die Abbildung archaischer Motive in einem chinesischen Teppich ermöglicht nur eine bedingte Altersbestimmung. Ein aus dem späten 18. Jahrhundert stammender Teppich zeigt ein Drachenmotiv, das der Ming-Zeit zuzuordnen ist (Abb. 31). Webtechnik und Farben machen seine zeitliche Einordnung möglich. Den Hauptbeweis liefert aber die Gestaltung der Bordüre, die gegen Ende des 18. Jahrhunderts oft in dieser Form gestaltet wurde. Zwei T-Formen sind so aneinandergesetzt, daß sie zwei getrennte Felder bilden, im Gegensatz zu dem fortlaufenden Hakenkreuz der späteren Zeit. Die sechs Drachen sind symmetrisch angeordnet; ihre blattförmigen Körper und ihre zweiästigen Schwänze deuten die gerollte Form an, in der sie später abgebildet werden. Der Teppich beschränkt sich auf die Farben Braun und Blau; beide variiert in verschiedenen Abstufungen. Obwohl dieser Teppich in seiner Musterstellung ein höheres Alter vortäuscht, ist er durchaus in die Gruppe antiker Teppiche einzuordnen.
Die gleiche Bordüre wie der vorangegangene zeigt ein Swastika-Medaillonteppich (Abb. 32). Auf gelbem Grund stehen die Motive in dunklem Blau in streng linearer Zeichnung. Aufgelockert wird das Mittelfeld durch zwei mehrfar-

bige Blütenformen, die spiegelbildlich angeordnet sind. Gegen Ende des 18. Jahrhunderts treten diese Blumenformen erstmalig auf. Die zeitliche Einordnung dieses Stückes wird erleichtert durch die Perlborte, die von der Bordürenzeichnung auf eine Trennlinie geschrumpft ist.

Abb. 32 Swastika-Medaillonteppich. Vor 1750. Knoten: Wolle; Kette und Schuß: Wolle. 126 × 66 cm. Ehem. Sammlung Tiffany, New York.

Die chinesischen Teppiche des 18. Jahrhunderts bieten eine erstaunliche Mustervielfalt. Neben Stücken, die rein geometrisch eingeteilt sind, stehen andere, die eine Fülle von Motiven vereinen und durch eine großzügige Mustergestaltung bestechen. Es ist nahezu unmöglich, die Entstehung der Teppiche in eine Zeitfolge einzuordnen. Einige der Motive zeigen wohl eine gewisse Abwandlung von Frühformen und lassen sich so auf ihren Ursprung zurückführen. Andere erscheinen erstmalig in einer Perfektion, die erstaunlich ist. Mit Sicherheit gab es gute und weniger gute Manufakturen, doch ist deren lokale Einordnung, zumindest für die Anfangszeit der Knüpferei, nicht weniger schwierig. Entscheidend waren wohl die Aufgabe, die ein Teppich zu erfüllen hatte, und letztlich der Preis, den der Auftraggeber zu zahlen gewillt war. So entstand bestes Knüpfgut neben mittelklassigem. Die nachfolgend vorgestellten Teppiche sind in das späte 18. Jahrhundert einzuordnen. Sie gehören zu jenen, die die Bezeichnung »Palastteppich« tragen und auch verdienen. Es sind Bodenteppiche größerer Formate, überschreiten aber selten das Maß von 2 × 3 Metern. Die durchschnittliche Breite der Webstühle lag in dieser Epoche bei zwei Metern, weswegen breitere Teppiche allgemein erst in das 19. Jahrhundert einzuordnen sind. Neben den bekannten Motiven zeigen diese Teppiche vor allem üppige florale Muster, die sich eng an die Zeichnung der Seidenwebereien anlehnen. Vielfarbige Seiden waren bereits im 18. Jahrhundert zu einem Exportartikel geworden, man hatte sogar die Vorstellungen des Abendlandes in den Musterkomplex einbezogen, der nun von der Teppichknüpferei aufgenommen wurde. Nur wurde bei dieser der Symbolgehalt einzelner Blütenmotive weit stärker betont, als es in der Weberei der Fall war.

Viele dieser Palastteppiche des späten 18. Jahrhunderts wurden aus Seide geknüpft und weisen, dank der Feinheit des Materials, eine höhere Knotenzahl auf als die Wollteppiche. In diese Gruppe gehört ein Wolkenband-Medaillonteppich in der Größe von ca. 2 × 3 Metern (Abb. 33). Ein leicht bläulich getöntes Rot bildet die Grundfarbe. Die für einen chinesischen Teppich sehr bewegte Zeichnung beschränkt sich auf drei Farben in unterschiedlichen Abtönungen, auf Gelb, Braun und ein dunkles Rot; in einzelnen Partien nähert sich das Gelb einem lichten Elfenbein. Seinen Namen erhielt der Teppich durch ein zentrales Medaillon, das von einem Kreis mehrfarbiger ineinander verschlungener Wolkenbänder umrahmt wird. Zentrale Symbolfigur des Teppichs ist ein kleiner Fo-Hund, der als Verteidiger des Glaubens von vier Drachen beschützt wird. Es sind die Drachen des Himmels, die von dem den Himmel verkörpernden Wolkenband eingerahmt werden. Die Musteranlage im Fond beweist, daß es sich um einen Bodenteppich handelt. Der Fo-Hund blickt nur in einer Richtung auf den Beschauer, die Muster des Fonds sind aber spiegelbildlich angelegt, die unterschiedlichen Blüten sind beidseitig auf eine Mittellinie hin ausgerichtet. Von bestechender Wirkung ist die streng naturalistische Zeichnung der einzelnen Pflanzen; sie treten verzweigt aus dem Untergrund und entfalten über reichem Blattwerk ihre Blüten, wobei jedes dieser Gewächse, ob Päonie oder

Orchidee, mit seinem Sinngehalt die Symbolik des Medaillons unterstreicht. Verglichen mit der noch ungelenk erscheinenden Blütenzeichnung des Vasenteppichs, zeigt sich an diesem Stück,

Abb. 33 Wolkenband-Medaillonteppich. Ende 18. Jahrhundert. Knoten: Wolle; Kette und Schuß: Wolle. 282 × 207 cm. Privatsammlung.

welche Vollkommenheit die chinesische Teppichknüpferei in einem relativ kurzen Zeitraum erlangte. Das Mittelfeld des Teppichs wird von einer schmalen Mäanderborte umrahmt, die eigentliche Bordüre nimmt die Blumenmittelzeichnung nochmals in Form einer bewegten Ranke auf.

Es ist mit Sicherheit anzunehmen, daß in den floral gemusterten Teppichen Einflüsse des Vorderen Orients ihren Ausdruck fanden. Die blumig gemusterten persischen Teppiche dienten den chinesischen Knüpfern wohl als Vorbilder, wurden aber nicht kopiert. Man wandelte die Muster asiatischem Geschmacksempfinden entsprechend ab; die Farben wurden reduziert und in ihrer Intensität gemildert, vor allem wurde dem einzelnen Blütenzweig ein gewisser Freiraum eingeräumt. Die intensivste Anlehnung vollzog sich in den Bordürendekoren mit üppigem ineinander verschlungenem Rankenwerk.

Der abendländische Handel gab diesen Teppichen den Namen »Moslem-Teppiche«, was besagt, daß in diesen Knüpfereien die dem chinesischen Glauben zuzuordnende Symbolik in den Hintergrund trat; sie wurden zum mehr oder weniger bedeutungslosen Schmuckstück, an dessen Schönheit sich das Auge erfreuen sollte. Der Begriff »Moslem-Teppich« bezieht sich aber nicht nur auf die Musterstellung; er steht ebenso im Zusammenhang mit der Grundfarbe des Teppichs. Sie nahmen mit einem bestimmten dunklen Blauton eine der Grundfarben des persischen Teppichs auf. Auch in ihren Formaten nähern sich diese Teppiche ihren Vorbildern an; ihre Länge entspricht in ungefähr der doppelten Breite.

Ein klassischer Moslemteppich zeigt im Mittelfeld ein Medaillon, dessen Zeichnung in sehr aufgelöster Form Anklänge an die Glückssymbole zeigt (Abb. 34). Umrahmt werden diese Symbole von einem Kranz stilisierter Fledermäuse. Die Motive wirken bereits blumig aufgelöst, umrahmt werden sie von einer üppigen

Abb. 34 Moslemblauer Medaillonteppich. Mitte 18. Jahrhundert. Knoten: Wolle; Kette und Schuß: Wolle. 249 × 159 cm. Ehem. Sammlung Tiffany, New York.

breiten Blumenranke. Stark betont und damit den persischen Teppichen vergleichbar ist die Blütengestaltung in den Ecken des Mittelfeldes. Zwischen diesem und dem Medaillon stehen einzelne Blüten frei auf dem Grund. Im Gegensatz zum vorangegangenen Teppich zeigt der Dekor ober- und unterhalb des Medaillons die gleichen Motive. Die strenge Perlborte wirkt fast wie ein fremdes Element; ihre Wirkung wird durch eine zweite schmale Bordüre aufgelokkert, die Schmetterlinge und Blüten in unterschiedlichen Farben zeigt. Eine breitere Blütenbordüre bildet die äußere Umrahmung. Aus dem dunkelblauen Grund tritt die Zeichnung des Teppichs sehr klar heraus. Er kann durchaus als vielfarbig bezeichnet werden, da aber alle Farbtöne matt sind und in unterschiedlichen Abstufungen eingesetzt sind, ist er fern jener Buntheit, die leider viele der neuen chinesischen Teppiche aufweisen.

Üppige florale Muster entsprachen nicht dem eigentlichen chinesischen Geschmack. Sie bestechen in ihrer Wirkung zwar den abendländischen Menschen und sind als erstklassiges Knüpfwerk zu werten, vermitteln aber nur bedingt die Impression dessen, was der Chinese unter Schönheit versteht. Die wahre Schönheit offenbart sich für ihn in der sparsamen, überschaubaren Zeichnung, hinter der sich ein echter Sinngehalt verbirgt. Ein gutes Beispiel dafür bietet ein nicht sehr gut erhaltener Teppich, der seines seltenen Grundmusters wegen aber Erwähnung finden muß (Abb. 35). Es ist ein sogenannter »Reiskornteppich«, genannt nach dem Füllmuster des Mittelfeldes. Er zeigt eine Reihenzeichnung von schräg aneinandergestellten

Abb. 35
Teppich mit Reiskorn-Fondmuster. Vor 1750. Knoten: Seide; Kette und Schuß: Seide. 246 × 153 cm. Privatsammlung.

kurzen Stäben, die als Reiskörner gedeutet werden. Im Medaillon ist ein Fo-Hund erkennbar, die Fondecken sind mit den Ranken und den Blüten einer Päonie gefüllt. Perlborte und T-Bordüre bilden die Umrahmung. Die Symbolik dieses Teppichs ist leicht erkennbar. Das Zentrum bildet der Behüter des Glaubens, die Päonie versinnbildlicht den Reichtum und das Ansehen, und der quellende Reis steht für Fülle und Vermehrung. Die Grundfarbe dieses Teppichs ist ein mattes Gelb, in dem die dunkelbraunen Reiskörner sichtbar werden. Aprikosenfarbig treten die Blüten heraus; diese Farbe bildet auch den Grund der Bordüre, deren T-Muster in zwei Blautönen abschattiert ist.

Der Fo-Hund gehörte im 18. Jahrhundert zu den bevorzugten Motiven der Teppichmuster. Er stand gleichbedeutend neben dem Drachen, der in späterer Zeit zum Hauptmotiv wurde. Der Motivwandel ist vielleicht damit zu erklären, daß der Drachenkörper mit Schwanz und Krallenfüßen den Knüpfern mehr Variationsmöglichkeiten bot. Der Hundekörper ist in der Darstellung von Bewegungsphasen begrenzter und bestimmt mit seiner sitzenden Haltung die Richtung des Gesamtmusters. In gewisser Beziehung widerlegt ein antiker Teppich die begrenzten Möglichkeiten der Abbildung eines Hundes.

Ein »Neun Löwenteppich«, wobei Löwe gleichbedeutend mit Hund ist, zeigt im Zentrum einen sitzenden Fo-Hund, der nicht, wie sonst, einfarbig abgebildet ist (Abb. 36). Neben einer klaren Zeichnung des Kopfes ist die Halskrause und das gelockte Rückenfell hell abgesetzt. Vier kleinere Hunde sind zwischen Blütenranken paarig angeordnet, auch sie mit durchgezeichneter Fellpartie und buschigem Schwanz. Im Gegensatz zum zentralen Tier sind ihre Mäuler weit geöffnet und zeigen die heraushängende Zunge. Vier weitere Hunde füllen in leicht gerundeter Körperform die Fondecken, auch sie sind mit üppigem Fell versehen. Das fein verteilte Buschwerk zwischen den Tieren erweckt den Eindruck, als handle es sich hier um eine spielende Hundeschar mit dem Leithund oder Muttertier in der

Abb. 36
Neun-Löwen-Teppich.
Um 1780.
Knoten: Seide;
Kette und Schuß: Seide.
249 × 168 cm.
Ehem. Sammlung Tiffany, New York.

Mitte. Ein Perlrand und eine breitere Blumenbordüre umrahmen das Mittelfeld. Die Grundfarben des Teppichs sind Blau und Gelb; sie werden durch ein mattes Grün ergänzt.
Zwei weitere Varianten des Fo-Hund-Motives sind auf einem Teppich abgebildet, der in seinem Symbolgehalt vom buddhistischen Glauben geprägt ist (Abb. 37). Ein helles Braun und unterschiedliche Blautöne sind die bestimmen-

Abb. 37 Buddhistischer Symbolteppich. Mitte 18. Jahrhundert. Knoten: Seide; Kette und Schuß: Seide. 267 × 174 cm. Privatsammlung.

den Farben dieses Teppichs. Das Mittelfeld ist mit einzeln stehenden Symbolblüten gefüllt, zwischen denen ein großes Mittelmedaillon und vier kleinere stehen. Das Zentrum bildet ein Kranz von Drachenköpfen in Form stilisierter Blüten, die von einer Wolkenbandkette eingerahmt werden. Von ungemeiner Eleganz in der bildhaften Bewältigung sind die vier kleinen Medaillons, die in ihrer Kreisform mehrere Symbole miteinander vereinigen. Diagonal gegenübergestellt sind zwei Embleme mit Fo-Hunden. Auf dem einen sind es vier Hunde, deren aufgestellte Rückenhaare die Kreisform ergeben. Sie behüten das Zeichen Shou, das hier in vereinfachter Form steht mit dem Sinngehalt für ein langes Leben. Das in der Diagonale liegende Medaillon zeigt zwei kreisförmig gelagerte Hunde, die das Yin-Yang-Zeichen verkörpern, die weibliche und männliche Polarität. Diesem Medaillon gegenübergesetzt ist ein Fabeltier in einer Landschaft, das seinen Blick auf einen in einem Baum sitzenden Vogel richtet. Im vierten Medaillon erscheint dieses Tier nochmals; einen Teil der Kreisform bildet ein Kranich mit ausgebreiteten Flügeln, auch er ein Garant für die Langlebigkeit. Nicht weniger vielsagend in ihrem Symbolgehalt ist die Bordüre dieses Teppichs. Das Grundmuster bildet eine Blütenranke. In ihr sind rein buddhistische Zeichen eingestreut; es sind die acht Symbole der glücklichen Weissagung, das Rad des Gesetzes, die Muscheltrompete, die Urne, das Goldfischpaar, der Glücksknoten, die Lotosblume, der Schirm und der Baldachin. Was diesen Teppich so interessant macht, ist nicht nur seine Mustergestaltung. Er liefert einen Beweis für die Verknüpfung

Säulenteppich, Provinz Ninghsia, 19. Jahrhundert. Knoten: Wolle; Kette und Schuß: Baumwolle. 280 × 135 cm. Privatbesitz.

Der Menasce-Teppich, vermutlich in Peking geknüpft, um 1850. Knoten: Seide; Kette und Schuß: Seide, mit Metallfäden durchwirkt. 225 × 124 cm.

Teppich mit dem Symbol Shou,
Shanghai, 19. Jahrhundert. Knoten: Seide; Kette und Schuß: Baumwolle. 210 × 150 cm.

der Symbole unterschiedlicher Glaubensrichtungen. Während die Bordürenzeichnung rein buddhistische Embleme enthält, trägt das Mittelfeld die Symbole des Taoismus, dessen Gedankengut und Ausdrucksformen von den Buddhisten übernommen wurden.

Medaillonteppich, Shanghai, Ende 19. Jahrhundert. Knoten: Seide; Kette und Schuß: Baumwolle. 150 × 90 cm.

Die Verfeinerung der Kultur und in ihr die Perfektionierung aller Künste ließ Teppiche entstehen mit einer sehr persönlichen Aussage. Es waren Knüpfereien, meist in reiner Seide, die wohl reine Auftragswerke waren und deren Inhalt vom späteren Besitzer weitgehend bestimmt oder sogar selbst entworfen wurde. Die Dinge, mit denen sich der kultivierte Chinese umgab, sollten sein Denken und Fühlen und vor allem seine Ambitionen ausdrücken. Bestes Beispiel dieser individuell gestalteten Kunstwerke bildet ein »Literaten-Teppich« (Abb. 38). Er wurde in Seide geknüpft, die enge Knotung bestimmt die Klarheit des Musters. Die Farbskala dieses Teppichs ist eng bemessen. Auf weißem Grund steht das Muster in Blautönen, die vom zartesten Hell bis zum tiefsten Dunkelblau reichen. Im Handel tragen diese weißgrundigen Seidenteppiche die Bezeichnung »Mandarinteppich«. Mandarine waren die Würdenträger des Staates; was sich in ihrem Besitz befand, gehörte zu den besten Erzeugnissen der chinesischen Kunst. Das kleine Mittelmedaillon dieses Teppichs bildet einen Blütenkranz, dessen große Blumen die Form des Schmetterlings aufnehmen. Das Symbolmuster wird von den Zeichen, die für die Schönen Künste stehen, geprägt. Neben der Lyra finden sich Schriftrollen und Bücher, auch das Schachspiel fehlt nicht, und das ästhetische Empfinden des Besitzers spiegelt sich wider in den Vasen auf geschnitzten Ständern. Nicht nur die Fondecken sind mit Blüten gefüllt, sie ragen aus den Vasen und stehen einzeln zwischen den Gegenständen. Es sind Pflanzen mit bekanntem Sinngehalt, wie Bambus und Chrysantheme, Wunschblumen für ein gutes neues Jahr. Der Perlborte folgt eine Blütenbordüre, den abschließenden Rand bildet ein fein ausgearbeiteter Fries in

Abb. 38
Literatenteppich.
18. Jahrhundert.
Knoten: Seide;
Kette und Schuß:
Seide.
273 × 177 cm.
Ehem. Sammlung
Tiffany, New York.

Form einer Mäanderborte, in der das T-Zeichen mit dem Swastikamotiv verbunden ist.
Bereits zu Ende des 18. Jahrhunderts begannen die chinesischen Manufakturen mit dem Knüpfen von Teppichen, die ausschließlich für den Export bestimmt waren. Abendländische Kaufleute begeisterten sich für die ihnen fremden Muster, insbesondere für jene, die die Symbole der ihnen unbekannten Religionen enthielten. So entstanden Teppiche, in denen das Bemühen zutage tritt, chinesisches Gedankengut mit europäischen Vorstellungen zu vereinen. Ein Beispiel für diese nicht immer geglückte Verbindung bietet ein Wollteppich, der um 1800 nach Amerika kam (Tafel 4, unten). Es ist ein relativ grob geknüpftes Stück, das das längliche persische Brückenformat aufnimmt. Da diese Proportion den chinesischen Knüpfern nicht geläufig war, wirkt die Anlage des Musters gedrückt und unausgewogen. Der Inhalt dieses Bildteppichs umfaßt die acht buddhistischen Glückssymbole. Das für das Mittelfeld zu große Medaillon zeigt zwei Phönixe in der Yin-Yang-Form, umgeben von einem Wolkenkranz; die Eckornamente werden von Vasen mit übergroßen Blüten ausgefüllt und dem legendären Finger Buddhas. Die restlichen Symbole gruppieren sich um das Medaillon. Jedes von ihnen ruht auf Wolkenbändern. Eine Borte umrahmt das Mittelfeld. In ihr sind im Wechsel Drachenhäupter, Wellen und Gebirge aufgereiht.
Zu der komprimierten Darstellung tritt ein fast verwirrendes Farbenspiel, das zwar von dem mattbraunen Grund etwas gebändigt wird, aber doch einen gewissen Eindruck von Buntheit erweckt, der so gar nicht dem chinesischen Ge-

schmack entspricht. Sicher ist diesem Teppich nicht ein gewisser Reiz abzusprechen, doch entspricht er in Muster- und Farbgestaltung jenen Vorstellungen, mit denen die chinesischen Knüpfer glaubten, dem abendländischen Geschmack Rechnung zu tragen; als ein typisch chinesisches Stück ist dieser Teppich nicht zu betrachten.

Abb. 39
Teppich mit Wolkendrachenmotiv.
Provinz Kansu, um 1750.
Knoten: Wolle; Kette und Schuß: Baumwolle.
205 × 145 cm.

Ganz anders stellt sich dagegen ein kleiner Teppich dar, der die Bezeichnung klassisch wahrhaft verdient (Abb. 39). Er begnügt sich mit drei Farben, einem hellen Gelb als Grundton, daneben Braun und Blau als Musterfarben. Die Ausdehnung des Medaillons im Zentrum des Fonds steht im harmonischen Verhältnis zur Gesamtgröße. Zwei Wolkendrachen sind kreisförmig angeordnet, in Abstand werden sie von sechs Fledermäusen umrahmt. Je drei spiegelbildlich angeordnete Wolkendrachen bilden sowohl die Eckmotive, als auch einen in sich geschlossenen Musterkomplex. Eine schmale Rankenbordüre und ein weiterer Swastikastreifen bilden die schlichte Umrahmung. Dieser Teppich besticht durch seine klare Gliederung und durch seine feine Zeichnung des Musters, er wurde aus fei-

ner Wolle geknüpft. Die den Teppich umlaufende Fransenborte weist auf eine Benutzung als Sitzpolster hin.
Betrachtet man die Teppiche, die gegen Ende des 18. Jahrhunderts entstanden sind, so gewinnt man den Eindruck eines gewissen Stilwandels. Wenn diese Feststellung mit einer gewissen Vorsicht ausgesprochen wird, so deswegen, weil die Mehrzahl der aus dieser Epoche bekannten Teppiche sich in abendländischen Sammlungen befindet. Sie pauschal in die Gruppe der Exportteppiche einzuordnen, wäre sicher nicht richtig, doch bietet diese begrenzte Anzahl nur einen Ausschnitt, und ihre Auswahl folgte mit großer Wahrscheinlichkeit den Geschmacksvorstellungen der Käufer. Waren die bisher vorgestellten Teppiche in der Mehrzahl ausschließlich in ihrer Musterstellung der Symbolik verbunden, tritt jetzt ein Wandel zum ornamentalen Blumenmuster ein. Das Blütenmedaillon, ergänzt mit Blütenzweigen, wird zum zentralen Motiv. Dazu tritt eine stärkere Betonung der Farben. Beigetragen zu dieser Entwicklung dürften erneut zwei bereits erwähnte Faktoren haben: Die Erfüllung abendländischer Geschmacksvorstellungen und die sicher intensivere Bekanntschaft mit Teppichen aus dem Vorderen Orient, vor allem aus Persien. Persische Medaillonteppiche gehörten zu den begehrtesten Exportstücken; daher ist es nicht erstaunlich, daß die chinesischen Knüpfer diese Musterform angleichend übernahmen, um den Absatz ihrer Erzeugnisse zu steigern. Abgewandelte Medaillonformen, sei es das Oval oder Rechteck, wurden nicht in die chinesischen Muster aufgenommen.

Ein typisches Erzeugnis dieser Epoche ist ein Teppich mit fünf Medaillons (Abb. 40). Ein Kranz von Chrysanthemenblüten bildet die Mitte, um ihn herum gruppieren sich üppige Blütenzweige. Zwei prächtige Schmetterlinge leiten zu den Eckmedaillons über, die in matteren Farben gehalten sind. Stark betont ist der Dekor der Fondecken; er leitet zu einer Perlborte über, der eine breitere Blütenbordüre folgt. Der Grund dieses Teppichs ist ein helles Braun; die

Abb. 40
Teppich mit fünf Medaillons. 18. Jahrhundert. Knoten: Wolle; Kette und Schuß: Baumwolle. 204 × 138 cm. Privatsammlung.

Abb. 41
Teppich mit acht Medaillons. Um 1750. Knoten: Seide; Kette und Schuß: Seide. 318 × 168 cm. Ehem. Sammlung Tiffany, New York.

Blumen zeigen eine reiche, aber in abgestimmten Farben gestaltete Palette.
Von bestechender Eleganz ist ein Teppich, der mit einer Länge von über drei Metern das Normalmaß überschreitet (Abb. 41). In ihm beweist sich, welcher Variationsmöglichkeiten sich die chinesischen Knüpfer zu bedienen wußten. Hier stehen acht Medaillons als zentrales Muster, wobei, unter Berücksichtigung des schmalen Formates, die Mitte von einem Schmetterling gefüllt wird; er ist einer von vier Tieren, die sich jeweils um die versetzt angeordneten Medaillons gruppieren. Im Zentrum der Kreismuster steht das Zeichen Shou, das Glückseligkeit verheißt. Fein gezeichnete Blattrispen ergänzen die Zeichnung des Mittelfeldes. Eine schmale T- und eine Blumenbordüre bilden die Umrahmung dieser Knüpferei, die zu den seltenen weißgrundigen gehört. Für die Muster wurden ausschließlich Blautöne in unterschiedlichen Abstufungen benutzt.
Zu den Seltenheiten gehört ein Teppich mit einem Muster von dreizehn Medaillons (Abb. 42). Blütenkreise sind in Form von drei Dreier- und zwei Zweierreihen angeordnet und ergeben eine zweifache Musterwirkung. Außer einem Reihenmuster ergibt sich ein großes Mittelmedaillon, das beidseitig von Reihen begrenzt wird. Die großen Blüten sind in Blau und Beige gehalten, sie stehen auf einem zart rosa Grundton. Die eingestreuten Blüten variieren die Farben Blau und Gelb; letzteres ist auch die Grundfarbe der Blumenbordüre. Das Material dieses Teppichs ist Seide.
Am Ende der Betrachtung der Teppiche des 18. Jahrhunderts sollen zwei Knüpfarbeiten ste-

hen, die stilistisch in eine frühere Epoche verweisen. Bei der Komposition der Muster handelt es sich um Frühformen, und es darf angenommen werden, daß diese Teppiche nach alten Vorbildern gefertigt wurden. Beide Teppiche beschränken sich auf zwei Farbtöne, die ohne Abstufungen gegeneinandergestellt sind. Der Drachenmedaillonteppich ist braungrundig,

Abb. 42 Teppich mit dreizehn Medaillons. Um 1780. Knoten: Seide; Kette und Schuß: Seide. 285 × 156 cm. Privatsammlung.

seine Musterung ist dunkelblau (Abb. 43). Das Medaillon wird von zwei gerundeten Drachenkörpern gebildet, deren blattförmig ausgearbeiteten Füße und Schwänze die Kreisform aufnehmen. Zwei spiegelbildlich angeordnete Päonienzweige füllen den Fond. Die Eckzeichnung zeigt das der Drachenform entlehnte Donnermotiv in Verbindung mit einem Swastika, das sich in der Bordürenzeichnung in einfacher Form wiederholt.

Abb. 43 Drachenmedaillonteppich. 18. Jahrhundert. Knoten: Wolle; Kette und Schuß: Wolle. 180 × 11 cm. Ehem. Sammlung Tiffany, New York.

In seinem Dekor bewegter ist der zweite Teppich (Abb. 44). Die azurblaue Musterung steht auf einem leuchtend gelben Untergrund. Der Fond ist mit einem reichen Blütendekor gefüllt, zwischen ihm stehen die gleichen geometrischen Motive wie im vorangegangenen Teppich. Die Swastikabordüre bleibt auch hier ihrer Grundform verbunden.

An den letztgenannten Teppichen beweist sich erneut, welche Schwierigkeiten die ungefähre zeitliche Einordnung bereitet. Es läßt sich zwar eine gewisse Stilentwicklung ablesen, doch bedeutet diese nicht, daß vergangene Formen in Vergessenheit gerieten. Die chinesische Kunst war eine Kunst, die immer wieder auf ihre Ursprünge zurückgriff, sei es in der Originalform oder in einer Abwandlung. Neue Formen lösten die alten nicht ab, sie traten ergänzend hinzu. Den Beweis dafür liefern viele im 19. Jahrhundert entstandene Teppiche; sie vereinen einfache geometrische Muster mit neuen Formen. Es tritt eine gewisse Rückbesinnung auf das Einfache ein; viele Teppiche tragen einen einfarbigen Fond ohne jeden Dekor.

An dieser Stelle sei noch auf ein Merkmal verwiesen, das insbesondere für antike und alte chinesische Teppiche Gültigkeit hat. Nur wenige von ihnen weisen am Knüpfbeginn und am Ende, also an den Schmalseiten, längere Fransen oder einen breiteren Kelim auf; oft fehlt beides. In China wurde der Teppich als eine Art von Gemälde betrachtet, das von einer klaren Rah-

*Abb. 44
Medaillonteppich mit Blütendekor.
Um 1800.
Knoten: Wolle;
Kette und Schuß: Wolle.
183 × 117 cm.
Ehem. Sammlung Tiffany, New York.*

menzeichnung, der Bordüre, begrenzt wurde. Eine nur an zwei Seiten vorhandene Kelimweberei und lange Fransen hätten die optische Wirkung gestört. Daher begnügte man sich allgemein mit einem schmalen Kelimstreifen, der oft umgelegt und vernäht wurde. Blieben Fransen stehen, so waren diese kurz. Nur wenige Teppiche weisen eine umlaufende Fransenborte auf; bei ihnen handelt es sich um Satteldecken oder Bezüge für Sitzpolster. Der sehr kurz gehaltene Kelimrand führte oft zu einer Lockerung und Zerstörung der ersten oder letzten Knüpfreihen; überhaupt gehören diese Partien zu den empfindlichsten der chinesischen Teppiche. Schäden dieser Art sollten schnell und gründlich behoben werden; ein einfaches Umstechen bringt meist nur einen kurzfristigen Erfolg. Sinnvoll ist es, die Kelimpartie nachzuknüpfen und auf der Rückseite zu vernähen.
Der Sammler, der sich bisher vorrangig den Teppichen des Vorderen Orients widmete, wird bei der Vorstellung der antiken chinesischen Teppiche die Zuordnung zu einer bestimmten Provenienz vermißt haben. Eine Klassifizierung, wie sie beim orientalischen Teppich nach Knüpfart, Muster und Farbstellung möglich ist, läßt sich für die frühen chinesischen Teppiche nicht erstellen. Mit Sicherheit kann nur gesagt werden, daß die Teppiche in Manufakturen geknüpft wurden. Der sinologischen Forschung ist es aber bisher nicht gelungen, überzeugende Beweise für die Existenz von Manufakturen zu liefern. O. Kümmel sieht die Anfänge einer Teppichknüpferei größeren Stiles bereits um 1680 in der Regierungszeit des Kaisers K'ang-hsi, in einer Epoche, die einen allgemeinen hohen

künstlerischen Standard aufwies. Kümmel schreibt: »Ein Wort verdienen die Teppiche, die in den Hofwerkstätten von 1680 keinen Schutz fanden, eines Schutzes aber offenbar nicht bedurften.« Mit dieser Bemerkung setzt er voraus, daß die Teppichknüpferei bereits eine Entwicklung durchlaufen hatte und zu einem künstlerischen Höhepunkt gelangt war. Nach seiner Ansicht bestanden am Hofe von Peking größere Manufakturen, doch ist ihre Existenz in den Annalen nicht belegt, sei es, daß sie keines Schutzes bedurften oder daß sie in ihrer künstlerischen Bedeutung nicht so hoch eingestuft wurden. Die Wahrscheinlichkeit spricht für das Bestehen von Knüpfzentren zu einem frühen Zeitpunkt, denn Peking sollte im 19. Jahrhundert zu einem Hauptlieferanten von Teppichen werden.

Die ersten Manufakturen dürften sich aber kaum in Peking befunden haben. Vermutlich befanden sie sich in jenen Gebieten, in denen sich bis in die Gegenwart die chinesische Teppichknüpferei angesiedelt hat. Es sind die Provinzen Ninghsia, Kansu und Suiyuan. Historisch gesehen gehörten diese Gebiete nicht immer zum chinesischen Reich; sie waren über lange Zeiten hinweg eng mit Ostturkestan verbunden. Diese Landschaft gehört zu den ältesten Zentren der Teppichknüpferei, und vieles spricht dafür, daß diese Technik der Wollverarbeitung von Ostturkestan her nach China Eingang fand. Die blumig gemusterten Medaillonteppiche sind mit Sicherheit in dieser Landschaft entstanden; die Einflüsse der Nachbarprovinzen sind in ihnen unverkennbar, das beweisen im besonderen die Teppiche des 18. Jahrhunderts. Auch das meist baumwollene Untergewebe verweist auf diese Landschaft.

Der Versuch, das Vorhandensein früher Manufakturen zu belegen, war bis heute erfolglos. Der Teppichforscher Bidder bereiste die Provinzen Kansu, Ninghsia und Suiyuan, in der Hoffnung, Hinweise zu finden. Den Berichten des Paters Gerbillon folgend, besuchte er die in dieser Landschaft gelegenen Oasen, fand aber weder in den dort vorhandenen Annalen noch in der Erinnerung der Bevölkerung einen greifbaren Hinweis auf eine Teppichknüpferei größeren Umfanges in vergangener Zeit. So kann über die antiken chinesischen Teppiche nur ein vager Hinweis auf ihren Entstehungsort gegeben werden.

Teppiche, in denen Blumen- und Medaillonzeichnung überwiegen, sind in die Gruppe der Kansu und Ninghsia einzuordnen. Die Knüpfarbeiten, in denen geometrische Formen in Verbindung mit einem klar erkennbaren Symbolgehalt überwiegen, dürften in den Hofmanufakturen, vor allem in Peking, entstanden sein. Eine gewisse Klassifizierung wird erst im 19. Jahrhundert möglich, in dem die Manufakturen gegründet werden, die noch heute Zentren der chinesischen Knüpferei sind.

Chinesische Teppiche des 19. Jahrhunderts

Erst in den letzten fünfzig Jahren wurde der chinesischen Kunst des 19. Jahrhunderts die Wertigkeit zuteil, die ihr gebührt. Noch um die Wende zu unserem Jahrhundert wurde die Epoche der Ch'ing-Dynastie (1644–1912) als eine Zeit des künstlerischen Verfalls betrachtet. In den Mandschuherrschern sah man nicht mehr als eine Gruppe von Bewahrern dessen, was in der vorangegangenen Ming-Dynastie seinen künstlerischen Höhepunkt erreicht hatte. Ausgelöst wurden diese Ansichten weniger von europäischen Gelehrten; meinungsbildend waren die japanischen Wissenschaftler und Sammler, die sich im 19. Jahrhundert weit mehr der chinesischen Kunst widmeten, als der des eigenen Landes. Die Kunst des eigenen Landes war für die Japaner nicht viel mehr, als eine Nachempfindung des chinesischen Geschmacks. Die Eigenwertigkeit der Kunst Japans war eine Entdekkung der Europäer; sie begann mit dem Holzschnitt und endete bei der Gartenarchitektur. Erst über Europa hinweg erkannte Japan sein eigenständiges künstlerisches Schaffen.

Stilteppich mit Aubussonmuster, Anfang 20. Jahrhundert. Knoten: Wolle; Kette und Schuß: Baumwolle. Geknüpft in doppeltem Schuß. 320 × 250 cm.

Werden die Maßstäbe angelegt, die von japanischen Gelehrten im 19. Jahrhundert entwickelt wurden, so endet die chinesische Kunst mit der Ming-Zeit; nach ihr setzte eine Entwicklung ein,

Paotou, 19. Jahrhundert.
Knoten: Wolle; Kette und Schuß: Baumwolle. Ca. 350 × 250 cm.
Kunsthandel Bernheimer, München.

Koranversteppich, Paotou?, 19. Jahrhundert.
Knoten: Wolle; Kette und Schuß: Baumwolle. 422 × 319 cm.
Kunsthandel Bernheimer, München.

Kaschgar, Mitte 19. Jahrhundert. Knoten: Wolle; Kette und Schuß: Baumwolle. 265 × 165 cm.

die mangelhaft versuchte, einen erreichten Höhepunkt zu erhalten. Die Ch'ing-Dynastie, getragen von den aus der fernen Mandschurei stammenden Herrschern, war nach der Yüan-Dynastie das zweite Herrscherhaus nicht rein chinesischen Ursprungs. Doch ebenso wie einst die Mongolen waren die Mandschu bemüht um die Erhaltung und Förderung der traditionellen chinesischen Kultur und Kunst. Sie wurden zu Bewahrern des Vorhandenen und dadurch, daß sie die politische und wirtschaftliche Ordnung wiederherstellten, schufen sie die Grundlagen für eine kontinuierliche Weiterentwicklung der Künste und des Handwerks. Das Leben in einem relativ sicheren Staat mit einer gut florierenden Wirtschaft ließ breitere Kreise zu einem Wohlstand gelangen, der für alle Formen des Lebens gültig wurde. Der zunehmende Export in ferne Länder, möglich geworden durch die Ausweitung der Seefahrt, beschäftigte zahllose Handwerker und ließ eine Schicht von reichen Kaufleuten entstehen. Ebenso wie die hohen Staatsbeamten war der Handelsstand bemüht, seinen Reichtum in kostbar ausgestatteten Häusern zur Schau zu stellen, wobei die Teppiche, sei es als Wand- oder Bodenbelag, eine nicht geringe Rolle einnahmen.

Auf die Teppichknüpferei bezogen, entstand ein bisher nicht vorhandener Bedarf, der zwei Käuferschichten gerecht werden mußte. Es galt, die sich ständig vermehrende Käuferschicht im eigenen Lande zu beliefern und ebenso den Bedarf des Exports zu decken. Bis gegen Ende des 19. Jahrhunderts trat in den Manufakturen keine Spezialisierung ein. Die Knüpfer arbeiteten weitgehend nach traditionellen Vorlagen, ungeachtet, ob der Teppich im Lande verblieb oder ausgeführt wurde. Das zunehmende Interesse, das um die Jahrhundertwende dem chinesischen Teppich vor allem in England und in den Vereinigten Staaten entgegengebracht wurde, begann dann zunehmend die Musterstellung und leider auch die Qualität der Knüpfereien zu beeinflussen. Da die chinesischen Teppichmanufakturen schon im vergangenen Jahrhundert weitgehend unter staatlicher Beeinflussung standen, war es nicht schwierig, ihre Produktion für das Ausland so zu gestalten, daß die Wünsche der Aufkäufer in Muster- und Farbgestaltung weitgehend Berücksichtigung fanden. Das Abendland hatte zu diesem Zeitpunkt noch nicht die ursprüngliche Schönheit des klassischen chinesischen Teppichs entdeckt. Es war noch immer jener künstlerischen Vorstellungswelt verhaftet, die im 18. Jahrhundert die Chinoiserie entstehen ließ, jenes falsche und versüßlichte Abbild chinesischen Lebens, das zwar eine reizvolle Kunstform entstehen ließ, die aber nicht mehr als Anregungen Chinas aufgenommen hatte.

So begann gegen Ende des 19. Jahrhunderts, und dieses ist für den Sammler wichtig, in China eine Produktion von Teppichen, die dem Abendland den Salonteppich bescherte. In ihm vollzog sich die Entwicklung, die Europa im 18. Jahrhundert erlebte, in umgekehrter Form. Jetzt bemühten sich die Chinesen, ihre Vorstellungen des abendländischen Schönheitsempfindens in die Muster und in die Farbgestaltung der Teppiche einzubringen. Um diese Stilangleichung bemühten sich insbesondere die Manufakturen im Osten Chinas. Peking, Tientsin und vor allem Shanghai lagen direkt oder in der Nähe der Verschiffungshäfen. An diesen Orten entstand die Mehrzahl der für den Export bestimmten Teppiche. Da China über gute Handelswege verfügte, wurden ebenfalls in den westlich gelegenen Manufakturen Partien von Teppichen geknüpft, die für die Ausfuhr bestimmt waren. Diese Zentren, vor allem Sinkiang, Khotan und Yarkand vollzogen eine Angleichung an den europäischen Geschmack auf anderem Weg. Seit Beginn der Knüpferei in diesen Grenzgebieten sind Einflüsse erkennbar, vor allem in der Mustergestaltung, die auf Zentralasien hinweisen. Die Begeisterung des Abendlandes für den orientalischen Teppich war den Chinesen wohl bekannt. Jetzt bemühten sie sich in stärkerem Maße, in diesen Manufakturen eine gewisse Musterangleichung an die ihnen bekannten Orientteppiche zu vollziehen. Es entstanden Knüpfereien, die chinesisches Empfinden mit Einflüssen des Mittleren Orients verbanden, oft in einer sehr gelungenen Muster- und Farbverbindung. Oft fällt es schwer, die Teppiche dieser Provenienz ihrer Herkunft nach korrekt einzuordnen. Ein Hinweis auf die Fertigung in einer chinesischen Manufaktur bietet vor allem die Farbkomposition, die Anlage der Bordüre und eine lockere Knüpfung.

Es wäre falsch, die sogenannten Exportteppiche in Bausch und Bogen abzuwerten. Es finden sich unter diesen Teppichen viele Exemplare, die insbesondere dem abendländischen Schönheitsempfinden entsprechen. Meist sind es zartfarbige Stücke, wobei die matte Farbwirkung oft altersbedingt ist, die einen naturalistischen oder stilisierten Blumendekor in einer meist üppigen

Bordüre zeigen, welche einen einfarbigen Fond umrahmt. Auch diese Teppiche tragen die Muster in abgestufter Florhöhe, jedoch nicht in der übertriebenen Schraffur, die viele neue chinesische Teppiche aufweisen. Die plastische Wirkung wurde bei diesen alten Arbeiten nicht durch eine nachträgliche Schur erreicht; bereits beim Knüpfvorgang wurden die Knoten in unterschiedlicher Länge eingezogen. Daher wirken diese Teppiche weit ursprünglicher als die späteren, bei denen die Schraffur exakt mit der Schere herausgearbeitet wurde. Dieses Unterscheidungsmerkmal bietet einen zusätzlichen Hinweis auf das Alter eines Teppichs. Für einen Raum mit beispielsweise farbig gefaßten Louis-Seize-Möbeln kann ein solcher Bodenbelag eine ideale Ergänzung abgeben. Doch sollte man diesen Teppich als Einzelstück wirken lassen und ihn nicht durch andere ergänzen, sei es durch orientalische oder klassische chinesische Teppiche. Beide Arten würden sich in ihrem ästhetischen Wert gegenseitig mindern. Für den Sammler alter chinesischer Teppiche sind diese Stücke nur insofern interessant, als sie zeigen, in welcher Art die chinesischen Knüpfer ihnen wesensfremde Formelemente umzusetzen verstanden.

An dieser Stelle ist es angebracht, nochmals über die Wollqualitäten chinesischer Teppiche zu sprechen. Das Erkennen bestimmter Wollarten und der Formen ihrer Verwendung erleichtert dem Sammler die Alters- und Herkunftsbestimmung eines Teppichs. Die weit verbreitete Meinung, daß grobe Knüpfung ein Hinweis auf hohes Alter sei, wird durch fein geknüpfte Seidenteppiche aus dem 18. Jahrhundert widerlegt. Aus der gleichen Epoche gibt es Wollteppiche, die in ihrer Knüpfdichte denen späterer Zeiten in nichts nachstehen. Es wurden in China in jeder Zeit Teppiche mit unterschiedlichen Knotenzahlen hergestellt. Die Knüpfdichte war weit mehr vom Material abhängig als von einer Weiterentwicklung der manuellen Technik.

Antike chinesische Teppiche sind vorrangig aus mehr oder weniger feiner Wolle oder aus Seide geknüpft. Aus dem gleichen Material besteht das Untergewebe, Kette und Schuß. Baumwolle wurde in größerem Umfang erst im 19. Jahrhundert, vor allem für das Untergewebe, gebraucht. Die Wolle sehr grob geknüpfter alter Teppiche ist oft von einer Sprödigkeit, die zu der Vermutung Anlaß gibt, es könne sich nicht um Wolle, sondern um Jute handeln. Diese Erkenntnis kann richtig sein. Es gibt alte chinesische Teppiche, in denen entweder ausschließlich Jute verwandt wurde, oder diese tritt als Zusatz zu grober Wolle auf. Teppiche aus diesem Material weisen zwar ein chinesisches Muster auf, es sind aber Kopien, die in Japan geknüpft wurden. Die Neigung Japans, chinesische Kunst zu kopieren, war vor allem im 19. Jahrhundert weit verbreitet. Dabei stand aber nicht die Absicht im Vordergrund, einen Anteil am chinesischen Teppichexport zu erlangen. Japan sah in dieser Epoche China, vor allem die chinesische Kunst, noch als das unerreichbare Vorbild an, dem es auf allen Gebieten nachzueifern bemüht war. Da Japan teure Wolle einführen mußte, wurde für das Untergewebe der Teppiche Jute benutzt, womit aber nur eine grobe Knüpfung zu erzielen war. Vor allem die Jute-Schußfäden mußten sehr stark sein, um eine gewisse Haltbarkeit zu

gewährleisten. Abgesehen von Farbkompositionen, die unchinesische Tönungen aufweisen, sind diese Teppiche an einer Art von Rippenmuster leicht erkennbar, bedingt durch die weiten Abstände der Knüpfreihen. Übrigens versuchte Japan in dieser Zeit auch persische Teppiche nachzuknüpfen, mit den gleichen unbefriedigenden Ergebnissen. Teppiche aus Japan, sei es mit chinesischer oder persischer Musterstellung, tauchen selten im Handel auf. Obwohl sie eine mindere Qualität aufweisen, werden sie in die Gruppe der Raritäten eingeordnet.
Beim Kauf eines jeden Teppichs sollte sich der Sammler die Mühe machen, einen einzelnen Knoten genau zu untersuchen. Handgesponnene Wolle ist leicht zu erkennen. Die einzelnen Fasern eines Wollfadens sind ohne Schwierigkeiten voneinander zu lösen. Da sie nicht präpariert sind, springen sie förmlich in ihre Naturkrause zurück. Maschinell bearbeitete Wolle, die gewaschen und gestrafft wurde, ebenso Seide oder Tierhaare, weisen diese Eigentümlichkeit nicht auf. Die einzelnen Fasern sind so eng verbunden, daß sie nur schwer trennbar sind. Die immer wieder empfohlene Brennprobe einer Faser bleibt beim Kauf im Geschäft meist eine Utopie, denn es gibt kaum einen Händler, der dem Käufer diesen Versuch einräumen wird. Sie ist nur nach dem Kauf zu vollziehen, ermöglicht dann aber noch immer eine Reklamation, sofern festgestellt wird, daß das Material nicht den gemachten Angaben entspricht. Doch ist diese Reklamation nur dann möglich, wenn der Käufer auf seiner Rechnung einen konkreten Hinweis auf das Material des Teppichs verlangt. Um Erkenntnisse aus der

Brennprobe zu gewinnen, sollte sich ein Teppichsammler erst einmal mit der Art des Verglimmens der einzelnen Stoffe vertraut machen. Erst wenn er mit geschlossenen Augen den Brenngeruch von Wolle, Baumwolle, Tierhaar, Seide und Kunstseide unterscheiden kann, ist diese Untersuchung sinnvoll.

Die Wollarten und die Qualitäten sind bei den chinesischen Teppichen um ein vielfaches unterschiedlicher als bei den persischen Erzeugnissen. Die Größe des Landes und damit die weite Entfernung der Knüpfzentren voneinander führte zur Verwendung lokal gewonnener Wollarten. Ein großer Teil der Teppichwolle wurde eingeführt, wobei die westlichen Manufakturen von Sinkiang ihren Bedarf aus Zentralasien und vor allem Tibet deckten. Aus Zentralasien kam Kamelwolle in grober und feiner Verspinnung. Sie wurde meist in den Naturfarben verarbeitet, die vom dunklen Schwarzbraun bis zu den bekannten kamelfarbenen Tönen reichen. Teppiche mit braunem Fond, geknüpft in Kamelwolle, sind meist Erzeugnisse der Provinz Sinkiang. Das ziemlich grobe, leicht krause Rinderhaar kam aus Tibet, das seit alters her für die Zucht seiner Yak-Rinder bekannt war. Diese ausgesprochenen Hochgebirgstiere liefern eine zwar starke, aber sehr widerstandsfähige Wollqualität, die bei fester Knotung sehr strapazierfähig ist. Teppiche aus Yakwolle sind ebenfalls der Provinz Sinkiang zuzuordnen. Sowohl die Kamel- als auch die Yakwolle erlaubten auf Grund ihrer Sprödigkeit und Festigkeit nur eine Knüpfung mit geringer Knotenzahl und damit eine großflächige Mustergestaltung. Kleingemusterte Teppiche findet man hier selten.

Im Laufe des 19. Jahrhunderts hatte man genügend Erfahrungen gesammelt, die es erlaubten, die Wollqualitäten zu verbessern. Je später ein Teppich geknüpft ist, desto mehr Sprung weisen die einzelnen Knoten auf und um so glänzender erscheint der Flor. Oft wurden die Teppiche nach dem Scheren einer Behandlung unterzogen, die die Knotenenden auflockerte. Das Ergebnis ist eine samtartige Oberfläche, die insbesondere dann wirkungsvoll ist, wenn abgetönte Wolle zum Knüpfen benutzt wurde.
Ein weiterer, leicht erkennbarer Unterschied trennt die Teppiche der westlichen Manufakturen von denen des Ostens, zumindest, wenn es sich um Arbeiten aus dem 19. oder dem beginnenden 20. Jahrhundert handelt. Die Teppiche der Landschaft Sinkiang wurden nicht nur in Wolle geknüpft, auch für Kette und Schuß wurden diese Materialien verwendet. Es sind reine Wollteppiche, deren grobe Knüpfung teilweise auch darauf beruht, daß das Untergewebe sehr stark war und keine engere Knüpfung erlaubte. Das bedeutet aber keinen Mangel an Haltbarkeit, sofern die einzelnen Knoten fest eingeknüpft wurden. Die Teppiche der Ostmanufakturen, vor allem die aus Peking und Tientsin, wurden im 19. Jahrhundert, teilweise auch schon früher, auf einem Baumwolluntergewebe geknüpft. Die Baumwolle entstammte nur zum geringen Teil der eigenen Produktion, sie wurde vor allem eigens zur Teppichherstellung eingeführt. Als Knüpfmaterial fand Baumwolle nur in sehr begrenztem Umfang Verwendung.
Mit der Entwicklung des Exportgeschäftes begann in den Manufakturen eine Technisierung, die sich vor allem auf die Färberei bezog. Im

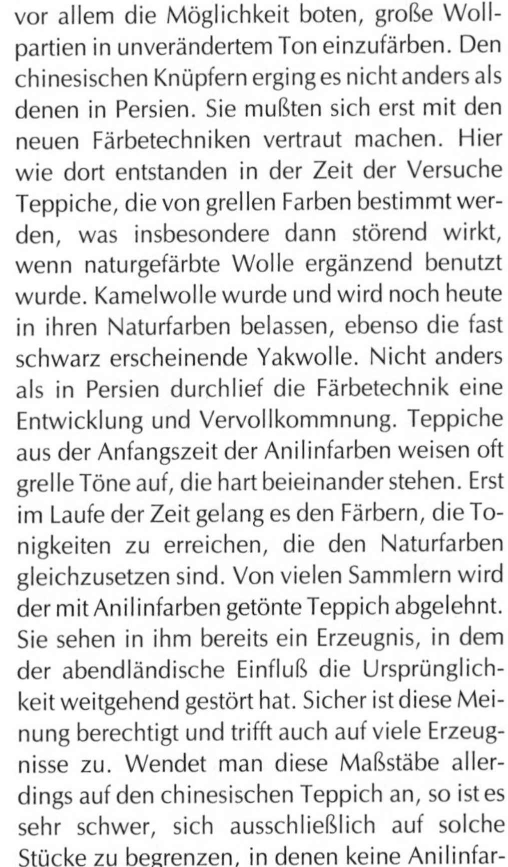

19. Jahrhundert wurden in zunehmendem Maße Anilinfarben benutzt, die zwar den Vorteil brachten, die Farbpalette zu erweitern, und vor allem die Möglichkeit boten, große Wollpartien in unverändertem Ton einzufärben. Den chinesischen Knüpfern erging es nicht anders als denen in Persien. Sie mußten sich erst mit den neuen Färbetechniken vertraut machen. Hier wie dort entstanden in der Zeit der Versuche Teppiche, die von grellen Farben bestimmt werden, was insbesondere dann störend wirkt, wenn naturgefärbte Wolle ergänzend benutzt wurde. Kamelwolle wurde und wird noch heute in ihren Naturfarben belassen, ebenso die fast schwarz erscheinende Yakwolle. Nicht anders als in Persien durchlief die Färbetechnik eine Entwicklung und Vervollkommnung. Teppiche aus der Anfangszeit der Anilinfarben weisen oft grelle Töne auf, die hart beieinander stehen. Erst im Laufe der Zeit gelang es den Färbern, die Tonigkeiten zu erreichen, die den Naturfarben gleichzusetzen sind. Von vielen Sammlern wird der mit Anilinfarben getönte Teppich abgelehnt. Sie sehen in ihm bereits ein Erzeugnis, in dem der abendländische Einfluß die Ursprünglichkeit weitgehend gestört hat. Sicher ist diese Meinung berechtigt und trifft auch auf viele Erzeugnisse zu. Wendet man diese Maßstäbe allerdings auf den chinesischen Teppich an, so ist es sehr schwer, sich ausschließlich auf solche Stücke zu begrenzen, in denen keine Anilinfarben vorhanden sind. Die Kunstfarbe fand in China weit intensiveren Eingang als im Vorderen Orient. Während dort die Nomadenstämme bis in das 20. Jahrhundert hinein ihren alten Färbetechniken verbunden blieben, hielt in den

chinesischen Manufakturen die neue Technik Einzug. Neben der Vereinfachung des Färbevorganges bot sie zusätzlich die Möglichkeit, die Farbabstufungen noch variabler zu gestalten. Ebenso konnten neue Farben in die Palette aufgenommen werden, deren Herstellung bisher mit Naturstoffen nicht gelungen war. Das galt vor allem für die Exportteppiche, die man nun in einer größeren Farbskala anbieten konnte. So tauchen vor allem neue Grün- und Orangetöne auf, die den Sammler wenig begeistern, aber dem damaligen europäischen Geschmack Rechnung tragen. Vor allem Seidenteppiche weisen oft eine Farbenpracht auf, die schon als Buntheit bezeichnet werden muß, wobei die Farbintensität durch die glänzende Seide noch gesteigert wurde. Von einer totalen Ablehnung der Teppiche, die mit anilingefärbter Wolle geknüpft wurden, sollte man Abstand nehmen. Es gibt eine Vielzahl von Teppichen, die in ihrer Farbwirkung vollkommen sind. Da sie meist nach vorhandenen Musterstücken geknüpft wurden, weisen diese Teppiche die gleiche Farbkomposition auf, die vorher mit Naturfarben erzielt wurde. Das Verhaftetsein mit der Tradition trug zu dem Bemühen bei, den Vorbildern gerecht zu werden. Eine gewisse Tendenz der Ablehnung dieser Teppiche bei vielen Sammlern ist insofern verständlich, als ihnen jene Patina fehlt, die ein naturgefärbtes Stück so reizvoll macht. Die Anilinfarben sind nicht durch einen normalen Alterungsprozeß abgeblaßt und wirken dadurch besonders zart; sie erstrahlen in ungebrochener Leuchtkraft, die manchen Sammler weniger begeistert. Ebenso erwecken aber andere Teppiche den Eindruck, sie seien mit ihren matten Farben noch in die Gruppe der naturgefärbten einzureihen. In diesem Falle kann der Schein trügen. Nicht anders als in Persien wurden auch in China die Teppiche nach ihrer Fertigstellung einer Wäsche unterzogen, die die Farben verblassen ließ und einen Alterungsprozeß vortäuschte. Ob ein Teppich »auf alt« gewaschen wurde, ist oft schwer erkennbar. Einen gewissen Aufschluß bietet die Rückseite. Weist sie, im Gegensatz zur Knüpfseite, die gleichen Farben auf, so kann vermutet werden, daß der Teppich gewaschen wurde. Sind nur auf der Vorderseite die Farben abgeblaßt und zeigt die Rückseite noch kräftigere Farben, kann es sich um eine echte Patina handeln. Ebenso weisen die Knoten der naturfarbenen Teppiche im Knüpfgrund, dort wo sie den Kettfaden umschlingen, eine intensivere Farbe als am Knotenende auf.

Betrachtet man die zur Auswahl gestellten Teppiche des 18. Jahrhunderts, so entsteht der Eindruck, in China wären Teppiche ausschließlich in Manufakturen geknüpft worden. Die Fülle der Teppiche, die aus dem 19. Jahrhundert bekannt sind, rechtfertigt diese Ansicht nicht. Das Bild, das wir vom chinesischen Teppich des 18. Jahrhunderts haben, ist bis jetzt weitgehend vom Abendland geprägt. Die Auswahl, die diese Teppiche nach Europa brachte, war eine sehr willkürliche; sie basierte auf dem Schönheitsempfinden des Abendlandes, das sich vor allem auf die vollendeten und kostbaren Stücke konzentrierte, wobei Seidenknüpfereien den Vorrang genossen. Die Teppiche des 18. Jahrhunderts wurden weder nach kulturellen noch kunsthistorischen Maßstäben ausgewählt. Sie kamen nach Europa als exotische Ergänzung hochstilisierter Inneneinrichtungen. Die einfache Knüpferei, die es mit Sicherheit auch in diesem Zeitalter gab, fand keine Beachtung, weder bei den Europäern noch im eigenen Lande. Ein Erwerb dieser Stücke war für den Landesfremden sicher auch dadurch erschwert, daß diese Knüpfereien nicht in den Manufakturen angeboten wurden.

Bevor die Weiterentwicklung des Manufakturteppichs im 19. Jahrhundert behandelt wird, sollen die Knüpfarbeiten Erwähnung finden, die für den täglichen Gebrauch an häuslichen Knüpfstühlen gefertigt wurden. Mit Sicherheit liegen die Anfänge der chinesischen Teppichknüpferei im bäuerlichen Haushalt. Es bleibt ungeklärt, ob sich die Knüpftechnik eigenständig entwickelt hat oder übernommen wurde. Letzteres ist wahrscheinlicher. Vermutlich entstand die Knüpferei bei den Volksgruppen, die im Westen Chinas an den Grenzen Zentralasiens lebten. Diese Stämme waren über eine lange Zeit hinweg den Völkern Zentralasiens enger verbunden, sowohl kulturell als auch politisch. Die zentralasiatischen Nomadenstämme entwickelten sehr früh die Technik des Teppichknüpfens. Bei ihrem Wanderleben wurde der Teppich zu einem Gebrauchsgegenstand, der die unterschiedlichsten Funktionen zu erfüllen hatte: er war ein wärmender Bodenbelag, eine schützende Decke und als Tasche ein vielseitiger Transportbehälter.

Für die bäuerliche Bevölkerung der Inneren Mongolei wurde der Teppich nur zu einer Ergänzung der vorhandenen Einrichtung. In ihm drückte sich mehr ein Schmuckbedürfnis als eine Notwendigkeit aus. Die Chinesen lebten in festen Häusern, die mit Möbeln eingerichtet waren. Mittelpunkt des Hauses war der K'ang, ein großer gemauerter Ofen, der als Bettstatt diente. Später wurde der Schlafplatz in ein überdimensionales Bett umgewandelt, das über Tage mit kleinen aufgesetzten Tischen als Sitzplatz diente. Es gab Tische und Stühle, der Aufbewahrung der Kleider dienten große Truhen. Der Boden der Häuser wurde mit Bastmatten und Filzteppichen ausgelegt. Teppiche dienten vorrangig der Verschönerung; sie waren ein Luxusgegenstand, der einen bescheidenen Reichtum repräsentierte. Man benutzte sie nicht nur im Haus als Bett- und Truhendecke und als Sitzpolster, es wurden auch die Sitze der einfachen Karren mit einem kleinen Teppich bedeckt. Die größte Vielfalt an Mustern wurde in den Satteldecken entwickelt; sie wurden zu Prunkstücken und zur Zierde der bei den Chinesen hoch geschätzten Pferde.

Die Zentren der Hausknüpferei waren und sind bis in die Gegenwart die Provinzen Kansu und Ninghsia im westlichen China. Die aus dem 19. Jahrhundert bekannten Teppiche sind auf baumwollenem Untergarn geknüpft, im lockeren Sennehknoten. Sie sind kleinformatig und in den Maßen ihren Zwecken angepaßt. Bodenteppiche finden sich kaum; die lockere Knüpfung bot sich nicht als Belag des Bodens eines Bauernhauses an. Beliebt war vor allem das fast quadratische Sitzpolster in farbenfreudiger Musterung. In ihrer Musterstellung vereinen diese Teppiche unterschiedliche Komponenten. Die Einflüsse Ostturkestans sind unverkennbar; sie vereinigen sich mit den Mustern der Filzteppiche und mit den klassischen chinesischen Zeichnungen, vor allem der Mäanderborte. Die Musteranlage dieser Teppiche ist einfach, es sind reine Füllmuster. Medaillonteppiche finden sich in dieser Gruppe nicht. Ebenso beschränken sich diese Knüpfereien auf eine meist relativ schmale Borte. Die Farben werden ohne Abschattierungen aneinandergestellt. Was man bei diesen Teppichen noch vermißt, ist der geistige Gehalt, ausgedrückt in Symbolen, der die Manufakturteppiche auszeichnet. Dagegen bestechen sie durch die Einfachheit ihrer Muster und eine erstaunliche Farbharmonie. Die breite Palette, die diese Teppiche aufweisen, läßt den Schluß zu, daß sie auf eine lange Tradition zurückgreifen, also schon im 18. Jahrhundert in ähnlicher Form geknüpft wurden. Die aus dem 19. Jahrhundert stammenden Exponate beweisen, daß man auch außerhalb der Manufakturen mit den Techniken des Wollfärbens seit Generationen vertraut sein mußte.

Abb. 45
Geknüpfte Decke, Provinz Kansu. 19. Jahrhundert. Knoten: Wolle; Kette und Schuß: Baumwolle. 90 × 55 cm.

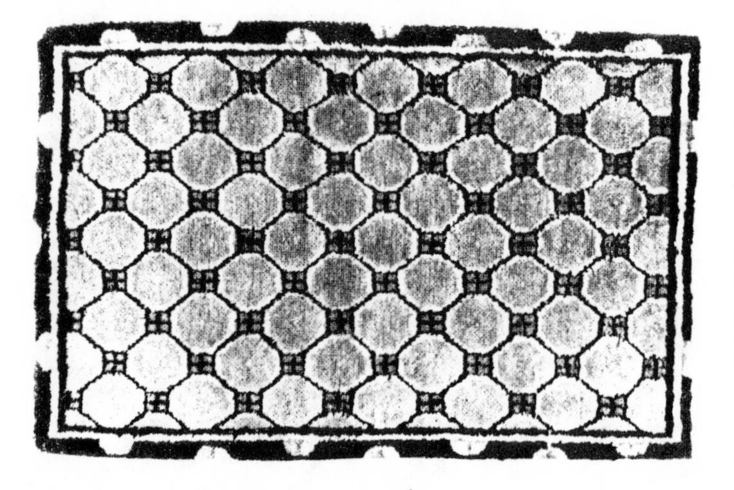

Abb. 46
Geknüpfte Decke,
Provinz Kansu.
19. Jahrhundert.
Knoten: Wolle;
Kette und Schuß:
Baumwolle.
90 × 55 cm.

Eine Decke aus der Provinz Kansu zeigt ein für diese Gruppe von Teppichen typisches geometrisches Muster (Abb. 45). Über olivfarbenem Grund liegt ein Gitternetz mit einem mittelblauen Streifen, der beidseitig von weißen Streifen gerahmt wird. Das entstehende Achteckmuster wird an den Schnittpunkten durch geviertelte Quadrate aufgelockert. Eine schmale braunschwarze Bordüre umrahmt den Fond; sie wird durch hellfarbene Halbkreise belebt.

Eine andere Decke (Abb. 46) mit braunrotem Grundton weist ebenfalls das schräglaufende Gittermuster auf in Form goldgelber Streifen, die den Teppich in hochgestellte Rechtecke unterteilen. Aufgelockert wird die Musterung durch jeweils vier gekrümmte Linien, die in die Quadrate ragen. Eine schmale dunkelblaue Swastikabordüre bildet die Umrahmung.

Während diese beiden Teppiche Erinnerungen an Filzapplikationen erwecken, verweist ein Sitzkissen auf die Einflüsse Ostturkestans

(Abb. 47). In seinem vielfarbigen Fond sind Oktogone versetzt aufgereiht, in derem Inneren eine andersfarbige Rosette als Füllmuster angelegt ist. Kleine unterteilte Rechtecke sind in die Zwischenräume gesetzt; durch sie ergibt sich auch hier das Achteckmuster. Die Rosette in der hier benutzten Form findet sich bei vielen Teppichen Ostturkestans, vor allem als Bordürenzeichnung. In dem vorgestellten Stück drückt sich das chinesische Element erneut in der Swastikabordüre aus.

Teppiche dieser Art bleiben im Handel oft noch unbeachtet, sie entsprechen nicht so ganz den Vorstellungen, die mancher Sammler von chinesischen Teppichen hat. Hinzu kommt, daß sie in ihrer Knüpfung meist sehr grob sind und im Erhaltungszustand nicht immer die besten. Dessenungeachtet zeigen diese Teppiche ungemein viel Ursprüngliches in ihrer klaren Musterung, die oft durch reizvolle Farben ergänzt wird. Der Sammler sollte auch sie beachten.

Abb. 47
Sitzkissen, Provinz Kansu. 19. Jahrhundert. Knoten: Wolle; Kette und Schuß: Baumwolle. 65 × 70 cm.

Die Satteldecken können nur bedingt der Hausknüpferei eingeordnet werden. Es ist wahrscheinlich, daß einfache Decken in der Familie geknüpft wurden. Die Mehrzahl der bekannten Satteldecken, die sich in Sammlungen befinden, weist aber eine so vollendete Knüpftechnik und Mustergestaltung auf, die ihre Einordnung in die Gruppe der Manufakturteppiche notwendig macht. Einige Forscher gehen von der Annahme aus, daß es eine Zunft von Wanderknüpfern gab, die mit ihrem Webstuhl und einem umfangreichen Wollsortiment von Ort zu Ort zogen, um Teppiche im Auftrage zu knüpfen. Der Beweis für diese Annahme ist nicht zu erbringen. Einige der Satteldecken verweisen in ihrer

Musterstellung auf mongolische Knüpfer, die in die chinesischen Territorien eingewandert waren und dort ihr Handwerk ausübten. Da in diesen Knüpfereien die chinesischen Motive gegenüber den mongolischen stärker hervortreten, werden die Satteldecken den chinesischen Teppichen zugeordnet, was für die Mehrzahl sicher auch berechtigt ist.

Die Satteldecken bestehen aus zwei getrennt geknüpften Teilen in entgegengesetzter Schurrichtung. Im Muster sind beide Teile identisch; sie wurden in der Mitte vernäht und ergaben ein Spiegelbild. Geknüpft wurden sie im Sennehknoten. Die von der Mitte abfallende Schurrichtung erlaubte dem Reiter einen bequemen Sitz; Nässe und Schmutz konnten schwerer in das Gewebe eindringen. Ursprünglich waren diese Decken abgefüttert, meist mit einem leuchtend roten Wollstoff, dessen Außenkanten nach oben umgeschlagen wurden. Sie bildeten eine leuchtende Umrahmung der Decke und schonten vor allem an den Seitenrändern die Knüpferei vor dem Abrieb durch die Stiefel des Reiters. Dem Format des Sattels entsprechend wurden zwei Öffnungen ausgespart, durch die die Sattelknäufe ragten. Eine andere Art von Decken weist diese Öffnungen nicht auf; sie wurde entweder auf Sätteln ohne Knäufe verwandt oder diente als Sattelunterlage. Im Format können diese Decken sehr unterschiedlich sein. Es gibt eine ovale Form; sie erinnert an zwei gegeneinandergestellte Hufeisen. Daneben gibt es eine rechteckige Form, bei der einseitig zwei Ecken winkelförmig abgesetzt sind. Neben den Normalformaten gab es Überlängen; sie werden als Prunkdecken bezeichnet. Oft werden halbierte ovale Decken fälschlicherweise auch als Stuhlpolster angeboten. An einer fehlenden unteren Bordüre und einem stark strapazierten Oberrand sind sie aber leicht als Teil einer Satteldecke erkennbar.

Eine bedeutende Sammlung von Satteldecken legte J. V. McMullan an; die Mehrzahl dieser Teppiche befindet sich jetzt im Metropolitan Museum, New York. Erstaunlich ist vor allem die Mustervielfalt der Satteldecken. Es gibt wohl kaum ein Teppichmuster, das in ihnen nicht zu finden ist, und sei es auch nur in Form eines Ausschnittes.

An mongolische Knüpfereien erinnert eine Satteldecke (Abb. 48) mit geometrischer Musterung in dunkler Farbe. Musterinhalt ist das Swastika, das mit der T-Bordüre in Längs- und Querrichtung verbunden ist. Eine breite helle Bordüre bildet die Umrahmung. Gemustert ist sie mit einer Form des Glücksknotens.

Eine ovale Satteldecke (Abb. 49) zeigt in Fond und Bordüre buddhistische und ostturkestanische Embleme in einer freien Anordnung, wie

Abb. 48 Satteldecke, vermutlich Provinz Kansu, Anfang 19. Jahrhundert. Knoten: Wolle; Kette und Schuß: Wolle. 127 × 64 cm. Ehem. Sammlung McMullan, USA.

Abb. 49 Satteldecke, Provinz Kansu, Anfang 19. Jahrhundert. Knoten: Wolle; Kette und Schuß: Wolle. 127 × 59 cm. Ehem. Sammlung McMullan, USA.

sie die Vasen der K'ang-hsi-Zeit aufweisen. Buddhistisch sind die Glückssymbole, der Granatapfel, das Swastika und das Zeichen Shou; die runden Blütenmotive verweisen auf Zentralasien.

Eine andere Decke (Abb. 50) wirkt wie ein Ausschnitt aus einem großen Teppich. Ein üppig angelegtes Päonienmuster, dessen Rand beschnitten wirkt, bildet den Fond, der von einer einfarbigen Bordüre umrahmt wird. Die dunklen Stellen der beiden letzten Decken sind Flicken, die aufgesetzt wurden, einige von ihnen sogar in nachgeknüpften Mustern. In dem Bemühen um die Erhaltung der Satteldecken zeigt sich der Wert, den sie für ihre damaligen Besitzer darstellten.

Zur Sammlung McMullan gehörten auch Satteldecken in Streifenmustern, wobei die Streifen Erinnerungen an Tierhäute wachrufen sollen. Diese Decken, von denen leider keine Abbildungen mehr vorhanden sind, stellen eine Parallele dar zu den Satteldecken der T'ang-Grabbeigaben.

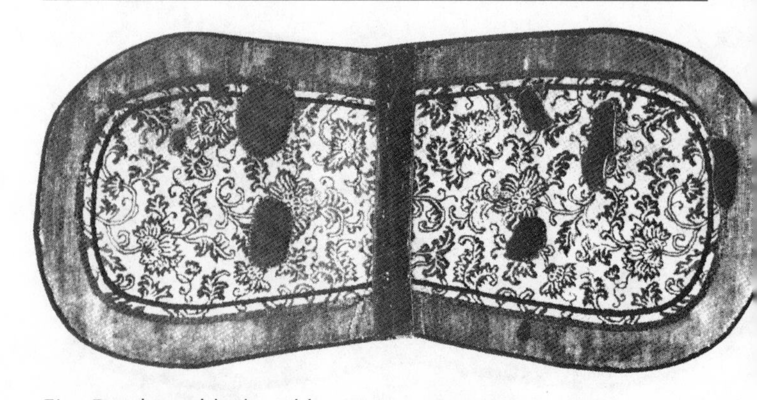

Abb. 50
Satteldecke,
Provinz Kansu,
Anfang
19. Jahrhundert.
Knoten: Wolle;
Kette und Schuß:
Wolle.
132 × 61 cm.
Ehem. Sammlung
McMullan, USA.

Eine Prunksatteldecke (Abb. 51) verweist in Muster- und Farbstellung auf die Manufakturen von Paotou. In ihr wurde ein klassisches Teppichmuster in das notwendige Format umgesetzt. Im mittelbraunen Fond stehen beidseitig Blütenmedaillons mit Chrysanthemen, darüber ein Pfirsichzweig, ein Schmetterling und ein einzelner Blütenzweig. Ein geometrisches Muster füllt die Fondmitte aus. Die Hauptbordüre trägt Päonien auf hellem Grund; sie wird durch eine Mäander- und eine Perlborte ergänzt. Abgebildet wirkt diese Satteldecke etwas unproportioniert, vor allem durch die dreifache Musterung der abgesetzten Fondecken. In der Benutzung sah der Betrachter jedoch stets nur die eine Hälfte, die dann in ihrer Komposition vollendet wirkt.

Das Sammeln von Satteldecken ist insofern reizvoll, als gerade in den letzten Jahren ein größeres Angebot im Handel zu finden ist. Da sich diese Decken kaum als Bodenbelag eignen und oft größerer Reparaturen bedürfen, bleiben sie allein den Sammlern vorbehalten.

Polsterkissen mit geknüpften Deckplatten gab es nicht nur in einfachen Formen. Die chinesi-

Abb. 51
Satteldecke,
Provinz Paotou,
19. Jahrhundert.
Knoten: Wolle;
Kette und Schuß:
Baumwolle.
130 × 60 cm.
Privatsammlung.

schen Kunsttischler waren Spezialisten für Sitzmöbel. Sie schufen stilistisch vollendete Sessel aus Blackwoodholz, geschmückt mit Intarsien aus Perlmutt oder Elfenbein. Die Füllungen der Sitz- und Rückenflächen wurden aus dünnen, oft durchscheinenden Marmorplatten gearbeitet, die einen reizvollen Kontrast zu dem dunklen Holz bildeten. Um die Benutzung dieser Sessel angenehmer zu machen, belegte man sie mit Kissen. Für die Rücklehnen wurden Teppiche geknüpft, die dem Format des Sessels entsprachen. Es sind sehr farbenfreudige Knüpfereien, die ein gewisses Einheitsformat aufweisen. Sie bilden ein Quadrat, das an der oberen Seite entweder eine oder mehrere Rundungen aufweist. Die Musterung dieser Rückenkissen zeigt meist das Drachenmotiv in unterschiedlichsten Variationen. Neben dem Drachen ste-

Abb. 52 Rückenkissen, Provinz Ninghsia, 19. Jahrhundert. Knoten: Wolle; Kette und Schuß: Baumwolle. 30 × 26 cm. Privatsammlung.

hen eine Fülle von Symbolzeichen, die dem Besitzer des Sessels oder dem willkommenen Gast Geborgenheit und Glück verheißen sollen.
Ein typisches Beispiel ist ein Rückenkissen (Abb. 52), das im unteren Randstreifen das »Vier Elemente Motiv« zeigt, dargestellt in einer farblich variierenden, schräggestellten Wellenreihe mit Schaumkronen. Dem dunkelblauen Fondgrund entsteigen zwei kleine Drachen, die mit der Wunschperle spielen. Über sie wacht ein älterer Drache. Die gelben Schuppen weisen hellblaue Konturen auf und deuten auf den Spruch hin, nach dem der blaue Drache seine Söhne unterrichtet. Die Päonienbordüre beinhaltet den Sinn des Ewigen. Wird die Symbolik dieses Musters im chinesischen Sinn gelesen, so verheißt sie demjenigen, der in diesem Sessel Platz nimmt, die Erfüllung des Wunsches, viele Söhne zu besitzen.
Ein anderes Rückenkissen (Abb. 53) zeigt das gleiche Drachenmotiv in abgewandelter Form. Hier steigen hinter den Meereswellen Berge hervor; über ihnen schwebt der vierkrallige mang-Drache, der den kaiserlichen Prinzen als Symboltier zugeordnet war. Umrahmt wird er von buddhistischen Symbolen, unter denen auch der Glücksknoten nicht fehlt. Die Bordüre entspricht in Anlage und Sinngehalt der des vorangegangenen Polsters.
Eine weitere Sondergruppe chinesischer Teppiche soll hier Erwähnung finden. Es sind die Knüpfarbeiten, die ausschließlich für den Gebrauch in Tempeln und Klöstern bestimmt waren. Zu ihnen gehören zwei sehr spezielle Arten, die quadratischen Mönchsteppiche und die Säulenbehänge und Wandteppiche mit religiö-

sem Inhalt. Vielfach werden die Sitzteppiche der Mönche in die Gruppe der Sitzpolster eingeordnet, was aber nur bedingt richtig ist. Die Polsterbezüge sind im Format kleiner; in ihren Mustern mischen sich profane mit symbolischen Motiven. Die größeren, immer quadratischen Mönchsteppiche waren weniger als Sitzunterlage gedacht. Der im Lotossitz kauernde Mönch breitete seinen Teppich vor sich aus; darauf ordnete er die zur Andacht notwendigen Öllam-

Abb. 53 Rückenkissen, Provinz Ninghsia, 19. Jahrhundert. Knoten: Wolle; Kette und Schuß: Baumwolle. 80 × 80 cm. Privatsammlung.

Abb. 54
Tempelteppich, Provinz Ninghsia, 19. Jahrhundert. Knoten: Wolle; Kette und Schuß: Baumwolle. 90 × 90 cm. Kunsthandel Bernheimer, München.

pen, Weihrauchgefäße und Heiligen Schriften an. In den buddhistischen Klöstern und Tempeln besaß jeder Mönch seinen eigenen Teppich, hinter dem er saß. Oft wurden diese Teppiche in Reihen gewebt und blieben in der Benutzung miteinander verbunden. In dieser Form werden sie auch oft im Handel angeboten.

Die Muster der Mönchsteppiche können sehr unterschiedlich sein; ihr Symbolgehalt kreist aber immer um die buddhistische Religion. Vorherrschend sind die Grundfarben Gelb und Orangerot. Beide Farben versinnbildlichen bestimmte Wesensformen des Buddhismus und geben Hinweise auf die Zugehörigkeit zu unterschiedlichen Sekten. In den chinesischen Mönchsteppichen finden sich weitere Hinweise auf ihre Verwendung in der Gestalt der Drachen. An ihrer Form und vor allem der Zahl ihrer

Krallen kann abgelesen werden, wo dieser Teppich einst Verwendung fand. Ein Beispiel bietet ein Mönchsteppich mit abgeblaßtem rotem Fond, in dem fünf Drachen abgebildet sind (Abb. 54). Einer bildet das Zentrum, die restlichen füllen die Fondecken. Zwei Fledermäuse ergänzen die Fondzeichnung. Die fünf Krallen der Drachen weisen darauf hin, daß dieser Teppich in einem Tempel benutzt wurde, der zum kaiserlichen Palast gehörte. Eine breite Bordüre mit blau abgestuften Wolken umrahmt das Mittelfeld.

In einem anderen Tempelteppich (Abb. 55) zeigt sich eine Weiterentwicklung des Grundmotivs Swastika im Vergleich zu einem Stück aus dem 18. Jahrhundert (s. Abb. 27). Der Teppich ist durchlaufend gelbgrundig; im runden Mittelmedaillon sind vier Swastika in einem Rechteck angeordnet, umrahmt werden sie von den Spitzen heiliger Berge. Die Fondecken sind mit dem Donnerzeichen gefüllt, in dessen Mitte ein weiteres Swastika eingefügt ist. Die Bordüre zeigt halbierte Lotosblumen, getrennt durch Diagonallinien. An diesem Teppich zeigt sich der Wandel, der sich in der Bedeutung einzelner Symbole vollzog. Das Swastika als glückverheißendes Symbol gab es, lange bevor der Buddhismus nach China kam. Im buddhistischen Glauben behielt es einerseits seinen ursprünglichen Sinn, wurde aber ebenso zu einem das Herz Buddhas symbolisierenden Zeichen.

Wie alle Häuser Chinas wurden auch die Tempel aus Holz gebaut. Das Dach des Zentralraumes wurde beidseitig von einer Reihe dicker Holzsäulen getragen. Die Säulen wurden mit Teppichen umhüllt, die in einzelnen Bahnen geknüpft wurden. Die Länge dieser Teppiche reicht bis zu drei Metern, ihre Breite beträgt selten mehr als 120 cm. Diese Teppiche sind leicht erkennbar; sie tragen nur an der Ober- und Unterkante eine Bordüre, die meist unterschiedlich gezeichnet ist. Im Muster bieten diese Teppiche immer nur einen Ausschnitt, denn an die Längsseiten schloß sich der nächste Teppich an. Es finden sich jedoch selten zwei Teppiche mit einem fortlaufenden Muster. Der Grund dafür ist folgender: Nur die sehr reichen Tempel konnten sich Säulenverkleidungen leisten, die die volle Rundung bedeckten. Allgemein wurde nur die Sichtseite mit einem Teppich behängt, der in

Abb. 55 Tempelteppich, Provinz Ninghsia, 19. Jahrhundert. Knoten: Wolle; Kette und Schuß: Baumwolle. 85 × 85 cm. Privatsammlung.

seiner gerundeten Form das umlaufende Muster vortäuschte. Das Zentralmotiv der Säulenteppiche ist der Drache, dessen Körperwindungen aber nur als Ausschnitte auf dem Teppich erscheinen. Stellt man sich den Teppich um eine Säule geschlungen vor, so schließt sich der Drachenleib zu einer Einheit.

Abb. 56
Säulenteppich, Provinz Ninghsia, Anfang 19. Jahrhundert. Knoten: Wolle; Kette und Schuß: Baumwolle. 300 × 127 cm.

Ein gelbgrundiger Säulenteppich (Abb. 56) ist im unteren Viertel mit den Motiven Erde und Wasser gezeichnet; kleine Schaumperlen bilden den Übergang zu einem Wolkenfeld, in dem sich der blau-weiß-geschuppte Drache krümmt. Es ist der fünfkrallige Himmelsdrache, der die über seinem Haupt gelagerte Wunschperle behütet. Buddhistische Symbole ergänzen die Zeichnung, die am oberen Rand mit einer Quastenbordüre abschließt.

Ein anderer Säulenteppich (Tafel 5), ebenfalls mit gelbem Grund, ist in seiner Zeichnung sparsamer. Hier entfaltet sich der Drache in voller Pracht. Sein geschuppter Körper tritt durch die Zeichnung in zwei Blautönen, die mit Weiß abgesetzt sind, klar aus dem Grund heraus. Als Bodenbordüre auch hier das Wasser-Erd-Motiv. Außer abgetönten Wolkengruppen ist nur die Wunschperle im Muster vorhanden. Sehr elegant ist die obere Bordüre angelegt; sie öffnet sich in Form blauer Blüten, die in mattbraune Rispen auslaufen.

Die Tempel des kaiserlichen Palastes begnügten sich nicht mit den Verkleidungen der Säulen mit Teppichen. Auch die Wände wurden mit Bildteppichen behängt. Sie gehören zu den vollendetsten und wertvollsten Stücken, die es unter den alten chinesischen Teppichen gibt. In diese Gruppe gehört der Menasce-Teppich (Tafel 6), geknüpft in Seide und mit Goldfäden durchwirkt. Ein dunkles Braun und unterschiedliche Gelb- und Orangetöne sind die bestimmenden Farben. An der Oberkante trägt der Teppich die Inschrift »Ch'ien-ch'ing Kung« (Zur kaiserlichen Verwendung im Palast des wolkenlosen Himmels). Das zentrale Motiv ist der Amitabha-

Buddha; er sitzt auf dem Lotosthron und ist von einer Flammenaureole umrahmt. Über seinem Haupt sitzen zwei stark gekrümmte Drachen. Sie behüten die von Flammenzeichen umrahmte Wunschperle. Die breite Bordüre zeigt als Grundmuster in Oktogone angeordnete Blüten, zwischen denen in abgegrenzten Feldern die »Acht Kostbarkeiten« und andere buddhistische Embleme eingefügt sind.

Abb. 57
Seidener Wandteppich, vermutlich in Peking geknüpft, Ende 19. Jahrhundert. Knoten: Seide; Kette und Schuß: Seide mit Metallfäden durchwirkt. 218 × 127 cm.

Ein anderer Teppich (Abb. 57) weist durch die unterschiedliche Gestaltung seiner Bordüren ebenfalls darauf hin, daß er als Wandteppich im kaiserlichen Palast Verwendung fand. Die untere Bordüre zeigt das Wasser-Erd-Motiv; die obere ist sehr breit. In ihr stehen übereinander Perlborten und die Mäanderzeichnung. Unter dieser Bordüre auch hier wieder herabhängende Blüten. Zwischen drei Medaillons sind die »Vier Fertigkeiten« abgebildet; die Seitenbordüren enthalten das Zeichen Shou und stilisierte Päonienblüten. Auch dieser Teppich wurde in Seide geknüpft und mit Metallfäden durchwirkt.

Ebenfalls in Seide und Metallfäden wurde ein Teppich (Abb. 58) geknüpft, der durch die Schrifteinknüpfung »Ning-shou Kung Yuan-ko« darauf verweist, daß er für den Palast des Ewigen Himmels gefertigt wurde. Ein ins Grünliche spielendes Gelb ist die Grundfarbe dieses in seiner Musterung sehr bewegten Bodenteppichs. Zwei sich gegenüberstehende Tempel, über denen Kraniche kreisen, bilden eine Art von Medaillon. Die Tempel stehen in einem üppigen Blumengerank, das aus einem Wellengebirge aufsteigt. Die Schmalbordüren werden vom mehrfarbigen Erdmotiv gebildet; die Längssei-

Abb. 58
Bildteppich, vermutlich in Peking geknüpft, um 1850. Knoten: Seide; Kette und Schuß: Seide mit Metallfäden durchwirkt. 246 × 157 cm.

ten sind in fünf Bordürenstreifen unterteilt. Die Fondumrahmung beginnt mit einer Perlborte; ihr folgen zwei Blütenstreifen, zwischen die eine Mäanderkante eingefügt ist. Ein dunkler Randstreifen bildet den Abschluß des in dieser Musterung nur in wenigen Exemplaren zu findenden Teppichs.

Den Sonderformen chinesischer Teppiche soll nun die Gruppe folgen, die in der Gegenwart, neben dem neuen Teppich, das zentrale Angebot des Handels ausmacht. Es sind die Manufakturteppiche des 19. und des beginnenden 20. Jahrhunderts. Es sind jene Teppiche, die mit einer bestimmten Bezeichnung, die auf ihre Herkunft hindeutet, angeboten werden. Die Einordnung chinesischer Teppiche ihrem Ursprung gemäß ist weit schwieriger als beim orientalischen Teppich. Die Bestimmungsmerkmale der Teppiche des Vorderen Orients, die sich allgemein sehr klar in Musterstellung, Farbkomposition und Knüpftechnik ausdrücken, sind beim chinesischen Teppich nur sehr bedingt aufzuspüren. Es gab nur eine Knotentechnik, und die Grundinhalte der Muster wurden in den einzelnen Knüpfzentren nur variiert. Obwohl die Herstellungsgebiete weit voneinander entfernt lagen, bestand eine geistige Einheit, fest verankert in der chinesischen Kultur, die jeden Teppich, gleich wo er entstand, mit dem Merkmal des typisch Chinesischen versah. Erst im Laufe des 19. Jahrhunderts begann eine gewisse Spezialisierung der einzelnen Gebiete auf sehr bestimmte Musterformen und auf die Verwendung typischer Farben. Musteranlage und Farbkomposition liefern die einzigen Hinweise auf die einzelnen Provenienzen.

Links:
Khotan?, um 1800.
Knoten: Wolle;
Kette und Schuß:
Baumwolle.
500 × 225 cm.
Kunsthandel
Bernheimer,
München.

Rechts:
Khotan,
19. Jahrhundert.
Knoten: Wolle;
Kette und Schuß:
Baumwolle.
Ca. 300 × 150 cm.
Kunsthandel
Bernheimer,
München.

Hochzeitsteppich, Tibet, 20. Jahrhundert. Knoten: Wolle; Kette und Schuß: Baumwolle. Ca. 90 × 180 cm.

Tibetteppich mit Schöpfungsvase 20. Jahrhundert. Knoten: Wolle; Kette und Schuß: Baumwolle. 180 × 90 cm.

Tibetteppich mit Samarkandmuster, um 1900. Knoten: Wolle; Kette und Schuß: Baumwolle. Ca. 190 × 120 cm.

Vasenteppich, Tibet, 20. Jahrhundert. Knoten: Wolle; Kette und Schuß: Baumwolle. Ca. 165 × 90 cm.

Doch selbst diese Hinweise erweisen sich oft nur als bedingt zutreffend, verfolgt man die Entwicklung einzelner Manufakturen im Laufe des vergangenen Jahrhunderts. Oft wurden die Muster anderer Zentren in die Produktion übernommen, vielleicht weil nach Teppichen dieser Art eine große Nachfrage bestand. Die beste Möglichkeit der Zuordnung eines Teppichs bieten die Farben; ihnen blieben die Manufakturen weitgehend verbunden, sie bedeuteten für sie so etwas wie ein Markenzeichen und sind es noch in der Gegenwart.

Türbehang, Tibet, Anfang 20. Jahrhundert. Knoten: Wolle; Kette und Schuß: Baumwolle. 175 × 80 cm.

Die Knüpfzentren werden hier nicht nach der Bedeutung, die sie im 19. Jahrhundert hatten, abgehandelt. Die Ansichten darüber gehen ohnehin auseinander. Es wird bei den Manufakturen des Ostens begonnen, ihnen folgen die des Landesinneren, am Ende stehen die Knüpfarbeiten der westlichen Manufakturen und der Grenzgebiete, die zugleich eine Überleitung zum tibetischen Teppich bilden.

Die Manufakturen des Ostens: Shanghai – Tientsin – Peking

Die Anfänge der Stadt Shanghai reichen bis in das 12. Jahrhundert zurück. Die am linken Ufer des Huangpo gelegene Stadt entwickelte sich in den folgenden Jahrhunderten zu einem Handelszentrum, bedingt durch ihre Lage nahe dem Meer, in das südlich der Stadt der große Strom Jangtsekiang mündet. Shanghai bot die Möglichkeit, die auf den Flüssen transportierten Güter aus dem Inneren des Landes aufzunehmen, die dann auf dem Seeweg weitertransportiert wurden. Eine erste Blütezeit erlebte die Stadt im 18. und 19. Jahrhundert; sie wurde zum beherrschenden Ausfuhrhafen für die Waren nach Europa und Amerika. Heute ist sie eine der größten Städte Chinas mit einer Einwohnerzahl von 11 Millionen.
Shanghai entwickelte sich nicht nur zu einem Handelsplatz; in seinem Umland entwickelte sich eine blühende Landwirtschaft, die auch Baumwolle in größeren Mengen produziert. Die Gründung von Teppichmanufakturen begann erst um die Mitte des 19. Jahrhunderts; eine lokale Knüpftradition gab es nicht. Die in Shanghai produzierten Teppiche wurden ausschließlich für den Export geknüpft. Die Mustervorlagen lieferten die Manufakturen von Peking und Tientsin; oft wurden sie aber abgewandelt, d. h.

dem europäischen Geschmack angeglichen, und die Farbpalette wurde erweitert. Während die anderen Manufakturen bis in die Anfänge dieses Jahrhunderts hinein zumindest teilweise noch Pflanzenfarben benutzten, weisen die Shanghaiteppiche die Verwendung von Anilinfarben auf. Um die Jahrhundertwende trat eine gewisse Spezialisierung ein. Es wurde die Herstellung von Wandteppichen in reiner Seide, meist auf baumwollenem Untergarn, aufgenommen; daneben wurden Teppiche in runden und ovalen Formaten geknüpft mit betont plastischer Schraffur. Die Dekore dieser Teppiche beschränken sich auf Blumenmuster, die weit mehr europäisch als asiatisch anmuten. Sie lehnen sich an die französischen Savonnerie-Teppiche des 18. Jahrhunderts an und werden, in teilweise guten Qualitäten, noch heute gefertigt.

Um dem Vergleich mit den orientalischen Teppichen gewachsen zu sein, bemühte man sich in Shanghai mit Erfolg, möglichst dicht und fest geknüpfte Teppiche herzustellen; das gilt vor allem für die Seidenteppiche. Neben den Teppichen, die europäischen Mustervorstellungen folgten, entstanden die Nachknüpfungen klassischer Peking- und Tientsinmuster, wobei die Vorlage oft in Wolle geknüpft war, die Kopie dagegen in Seide. Hiermit ergibt sich ein Sammlerhinweis. Teppiche mit Peking- oder Tientsinmusterung, die in Seide geknüpft sind, stammen meist aus Shanghai. Ein Beispiel bietet ein Teppich mit einem für Peking typischen Muster (Tafel 7). Er gehört zu den Stücken, von denen in den vergangenen Jahrhunderten Tausende geknüpft wurden. Sie sind im Alter kaum bestimm-

bar, es sei denn am Grad ihrer Abnutzung oder an der Zusammensetzung der Farben. Die Grundfarbe dieses Teppichs kann variieren, ebenso die Detailzeichnung. Die Anlage von Motiven und Bordüre zeigt aber immer die gleiche Einteilung. Der Teppich begnügt sich mit einem Symbol, dem Shou, dem Zeichen für Langlebigkeit. Auf dem zartlila Fond stehen fünf Shouzeichen in Form von Medaillons, in der Bordüre erscheinen sie zwischen zartblauen Wolkengebilden in abgewandelten Formen.
Ein anderer Teppich (Tafel 8) läßt sich seiner Musterstellung und der Farbkomposition nach ebenfalls in die Gruppe der Pekingteppiche einordnen. Sandfarbener Grund und eine Musterung in unterschiedlichen Blautönen entsprechen dem Pekingvorbild, dem auch die Musteranlage entspricht. Sie beschränkt sich auf Lotosblüten und Schmetterlinge. Die Falter umrahmen die Mittelblüte in einem geschlossenen Kreis; einen größeren Kreis bilden einzelne Schmetterlinge, sehr reizvoll in gestuften Blautönen gestaltet. Rankende Lotosblüten bilden die Bordüre. In China tragen diese Teppiche die Bezeichnung »Hochzeitsteppich«; der Schmetterling war der Garant für dauerndes Eheglück.
Die Verbindung europäischer Muster mit asiatischen Symbolen führte nicht immer zu einer stilistischen Diskrepanz. Gelungen erscheint die Verbindung in einem Shanghaiteppich (Abb. 59), der in seinem graublauen Grundton Anklänge an französische Teppiche erweckt. Der Blütendekor verweist auf abendländischen Einfluß; er wurde geschickt in eine langgezogene T-Bordüre gestellt, die, ebenso wie das Zeichen Shou im Mittelmedaillon, die Brücke

Abb. 59 Shanghaiteppich, Anfang 20. Jahrhundert. Knoten: Wolle; Kette und Schuß: Baumwolle. 180 × 90 cm.

vom Westen zum Osten schlägt. Hier wurde eine Lösung gefunden, die den Kenner weniger begeistert, den Teppich aber zu einem gefälligen Dekorationsstück macht.
Die Stadt Tientsin liegt südöstlich von Peking. Als Knüpfzentrum gewann sie erst gegen Ende des 18. Jahrhunderts an Bedeutung. Bis dahin konzentrierten sich die Handwerksbetriebe von Tientsin (Tianjin) vorrangig auf die Wollherstellung – später kam die Bearbeitung von Baumwolle dazu – und schufen sich vor allem einen guten Ruf als Meister der Färbetechnik. Das künstlerische Zentrum Peking beeinflußte den Stil von Tientsin so stark, daß es nicht zur Entwicklung eigener Muster kam. Die Teppiche von Tientsin zeichnen sich durch ihre Vielfalt aus, was eine konkrete Zuordnung erschwert. Die Manufakturen von Tientsin wurden zu einer Art von Zulieferern, und es ist wahrscheinlich, daß viele Teppiche, die mit dem Zuspruch Peking belegt werden, in Tientsin geknüpft wurden.

Im 19. Jahrhundert begannen sich die Manufakturen von Tientsin vorrangig auf die Herstellung von Exportteppichen zu konzentrieren. In der Gegenwart bestreiten die Teppichfabriken dieses Distrikts den Hauptanteil des Exportvolumens. Es wurden drei Grundmuster entwickelt, die sich weit von denen des klassischen chinesischen Teppichs entfernt haben. Sie entsprechen den Vorstellungen und Wünschen einer breiten Käuferschicht in Europa und Amerika. Hier wirkt noch immer eine Geschmacksentwicklung nach, die mit dem Salonteppich aus China zu Ende des 19. Jahrhunderts begann.
Eines der Vorbilder der Teppiche aus Tientsin ist der französische Aubussonteppich des 18. Jahrhunderts. Er wird, bei gleicher Musterstellung, in allen gängigen Maßen geknüpft. Wie ein Beispiel (Tafel 9) zeigt, entbehren diese Teppiche nicht einer gewissen Schönheit und Harmonie, die sich vor allem in der Komposition matter Farben ausdrückt. Das üppige Blumenmuster vereint Päonien mit Rosen. Es füllt das ovale Mittelmedaillon, das in seiner Form den französischen Vorbildern angeglichen wurde. Eine barocke Blattbordüre trennt die zwei Blautöne des Fond, auf dessen hellgrundigem Rahmen das Medaillonmuster aufgenommen wird. Eine schmale dunkelgrundige Bordüre mit einem stilisierten Blattmuster bildet die äußere Umrahmung dieses Teppichs.
Die zweite Art der Tientsinteppiche ist im Dekor etwas sparsamer. Sie beschränkt sich auf ein unifarbenes Mittelfeld ohne Medaillon; nur die Fondecken zeigen den gleichen Blütendekor wie im vorangegangenen Stück. Die Bordüre weist ebenfalls den Blumenrankendekor auf.

Am Anfang dieses Jahrhunderts entwickelte sich die dritte Musterart, die dem klassischen chinesischen Teppich am nächsten steht. Diese Teppiche sind durchgehend einfarbig; der einzige Schmuck ist eine breite Bordüre in klassischer Mäanderkante, die allein durch ihre betonte Schraffur aus der Fläche heraustritt. Zusätzlich zeigen einige dieser Teppiche ein ebenfalls nur durch die Schraffur sichtbares Medaillon in Form des Zeichens Shou. Die Palette dieser sehr elegant wirkenden Teppiche reicht vom reinsten Weiß bis zum tiefen Dunkelblau, in ihrer Wirkung muten sie durchaus chinesisch an. Vor allem fügen sie sich jedem Dekorationsstil ein. Anfänglich nur auf dem amerikanischen Markt gefragt, gewannen sie in den letzten Jahren auch zunehmende Beachtung in Europa.

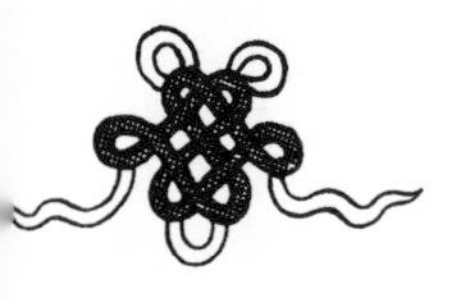

Die in Tientsin hergestellten Teppiche zeichnen sich durch große Haltbarkeit aus; man kann sie als Strapazierteppiche bezeichnen. Sie werden mit doppeltem Schuß geknüpft und im Handel als »super chinese« bezeichnet; die in China gebräuchliche Qualitätsangabe lautet »closed back«. Teppiche mit einfachem Schuß tragen den Zusatz »open back«. Alle Tientsinteppiche werden mit Schraffur versehen, die aber nicht auf unterschiedlich langen Einknüpfungen beruht; sie wird durch nachträgliches Ausschneiden des Flores erzielt. Die Florhöhe erreicht bis zu 17 mm, was die Teppiche ungemein schwergewichtig macht; bei einer Größe von 300 × 250 cm wiegen sie ca. 40 kg.

Seit Beginn dieses Jahrhunderts nahmen die Manufakturen von Tientsin ein zusätzliches Fertigungsprogramm auf, das nur der Vollständigkeit halber Erwähnung finden soll. Um das Exportgeschäft zu erweitern, wurden Teppiche nach persischen Vorbildern geknüpft, die in ihrer Musterstellung und in der Farbkomposition frei von jedwedem chinesischen Einfluß sind. Es sind Kopien von Täbristeppichen, die auf seidenem Untergewebe in Seide geknüpft werden; teilweise werden sogar Naturfarben-Seiden verwendet. Erstaunlich an diesen Teppichen ist ihre Knüpfdichte. Während feinste chinesische Seidenteppiche eine Dichte von 100 000 Knoten pro Quadratmeter aufweisen, werden die Täbriskopien mit einer Dichte bis zu 1 000 000 Knoten pro Quadratmeter hergestellt. Die erstklassige Knüpfung dieser Teppiche und die bis ins Detail überzeugende Mustergestaltung machen es oft sehr schwer, einen solchen Teppich nicht in die Gruppe der persischen Erzeugnisse einzuordnen, insbesondere dann, wenn eine Wäsche ein gewisses Alter vortäuscht. Oft bietet der Handel, teilweise in Unkenntnis der wahren Herkunft, diese Stücke als persische Teppiche an, gegen deren hervorragende Qualität nichts einzuwenden ist. Was den Kenner und Sammler von dem Kauf dieser Teppiche abhält, ist die in ihnen erkennbare Perfektion, die jene Ursprünglichkeit vermissen läßt, die einem originalen Stück anhaftet. In jedem Falle sollte man dem Angebot eines persischen Seidenteppichs feinster Knüpfung dann mit Skepsis gegenübertreten, wenn der Preis weit unter dem allgemeinen Handelsniveau liegt. Die ›chinesischen Perser‹ sind preiswerter, oft allerdings nur im Einkauf des Handels.

Während Shanghai und Tientsin sich bereits im 19. Jahrhundert vorrangig der Produktion von Exportteppichen zuwandten, blieb Peking mit

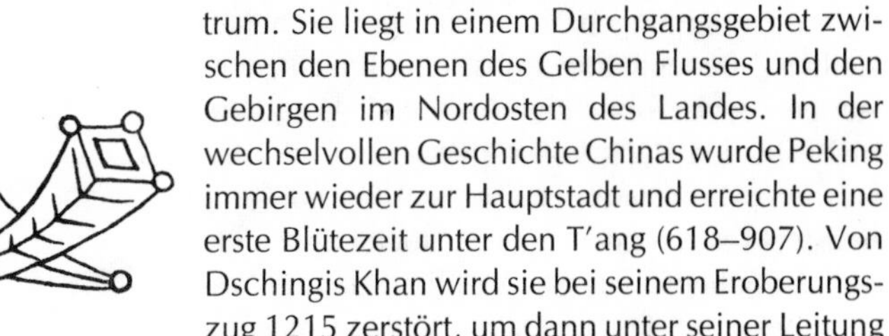

seinen Manufakturen weit mehr den alten Mustern und Formen verbunden. Selbst die in Peking geknüpften Exportteppiche wollen nicht ihre chinesische Herkunft verleugnen. Die Hauptstadt Peking (Beijing) war seit der Entstehung des chinesischen Staates ein Handelszentrum. Sie liegt in einem Durchgangsgebiet zwischen den Ebenen des Gelben Flusses und den Gebirgen im Nordosten des Landes. In der wechselvollen Geschichte Chinas wurde Peking immer wieder zur Hauptstadt und erreichte eine erste Blütezeit unter den T'ang (618–907). Von Dschingis Khan wird sie bei seinem Eroberungszug 1215 zerstört, um dann unter seiner Leitung als Hauptstadt wieder aufgebaut zu werden.
Um die Erinnerung an die mongolischen Eroberer zu verwischen, verlegt der erste Ming-Kaiser, Hung-wu (1368–1398), die Hauptstadt nach Nanking, doch schon sein Nachfolger, Yung-lo (1403–1424), kehrt mit dem Hof nach Peking zurück, das von ihm den Namen Beijing (Nördliche Hauptstadt) erhält, der im heutigen China zum Eigennamen Pekings wurde. Im Lauf der Jahrhunderte erlebt die Stadt viele Umbauten; jeder Kaiser war bemüht, die Stadt zu verschönern. Mit dem Ende des Kaiserreiches verliert Peking erneut den Rang der Hauptstadt. Wieder bemühte sich die neue Regierung, die Vergangenheit zu überwinden, die der Kaiserpalast von Peking repräsentierte. Erneut wurde Nanking in den Rang der Hauptstadt erhoben. Dessenungeachtet blieb Peking das geistige und wirtschaftliche Zentrum Chinas, es gelang Nanking nicht, ihm den Rang streitig zu machen. Im Jahre 1949 entschloß sich die Führung der Volksrepublik, Peking wieder zur Hauptstadt zu machen.

Die Teppichknüpferei in Wolle und Seide blickt in Peking auf eine gewisse Tradition zurück. Die Manufakturen belieferten vor allem das Kaiserhaus und die ihm nahestehenden Kreise. In Peking konzentrierten sich die bedeutenden Familien des Landes, die ihren Reichtum in den kostbaren Einrichtungen ihrer Häuser zur Schau stellten. Bedeutende Kunstsammlungen entstanden, wobei aber nur die seidenen Wandteppiche in den Rang von Kunstwerken erhoben wurden. Die großen Häuser wurden mit herrlichsten Teppichen ausgelegt, doch betrachtete man sie, ebenso wie das Mobiliar, nur als Ausstattungsgegenstände. Das bestätigen die umfangreichen Sammlerverzeichnisse, die nur dann einen Teppich erwähnen, wenn er in den Rang eines Gemäldes erhoben werden konnte.
Die Ansichten, ob den Manufakturen von Peking eine eigene Stilform zuzuordnen ist, gehen auseinander. Ebenso ist es nicht sicher, daß alle Teppiche, die in Peking gefunden und erworben wurden, aus den örtlichen Manufakturen stammten. Das beweisen zahlreiche Teppiche, die nachweisbar aus den kaiserlichen Palästen stammen und deren Herkunft auf andere Provinzen verweist. Da die Mehrzahl der in Peking geknüpften Teppiche übereinstimmende Merkmale aufweist, hat sich die Bezeichnung »Peking-Teppich« im Handel eingebürgert. Gemeint sind damit Teppiche, in denen die Farben Blau und Gelb oder Beige bestimmend sind und deren Muster eine klare Aufteilung in rechteckig angelegtem Fond zeigt, der von einer gerade angelegten Bordüre umrahmt wird. Daneben gibt es eine weitere Bezeichnung, die sich vorrangig auch auf den »Peking-Teppich« bezieht. Es ist

Abb. 60 Palastteppich, sign. Mitte 18. Jahrhundert. Knoten: Seide; Kette und Schuß: Seide mit Goldbroschierung. 220 × 130 cm. Privatbesitz.

der im Handel oft auftauchende Name »Mandarin-Teppich«. Unter dieser Art wird weniger eine bestimmte Musteranlage oder Farbkomposition verstanden. Die Bezeichnung Mandarin wurde für hohe kaiserliche Würdenträger als Titel angewandt. Der Name »Mandarin-Teppich« soll also nicht mehr besagen, als daß es sich um ein Stück handelt, das, ins europäische Denken übertragen, aus »fürstlichem Besitz« stammt. Dieser Begriff bietet selten mehr als den Hinweis auf eine hohe Qualitätsklasse.
Erstaunlich ist das Beharrungsvermögen, das die Manufakturen von Peking nach dem Jahr 1912, in dem das Kaiserhaus von der Volksrepublik abgelöst wurde, entwickelten. Bis in die dreißiger Jahre unseres Jahrhunderts hinein wurden Teppiche im alten Stil weitergeknüpft, nur in den Formaten begann man in beschränktem Maß Konzessionen zu machen, die darauf hinweisen, daß die Teppiche für die Ausfuhr bestimmt waren. Zu diesen seltenen Formaten gehörten schmale Läufer, die in ihrem Stil aber den klassischen Mustern verbunden blieben. Nach 1945 begann man in Peking ebenfalls mit der Herstellung von Teppichen in Seiden-Woll-Gemischen nach persischen Vorbildern, doch hält sich diese Produktion in Grenzen. Es werden auch in der Neuzeit vor allem Teppiche in klassischen Mustern geknüpft sowie Wandteppiche in Seide, die die Motive der chinesischen Tuchmalerei aufnehmen. In ihren oft zu krassen Farben sind sie aber von ihren Vorbildern weit entfernt, sowohl denen der Malerei als auch denen, die sich in alten Bildteppichen anbieten.
Ein vermutlich in Peking geknüpfter Bildteppich (Abb. 60), seine Signierung verweist ihn in die

Mitte des 18. Jahrhunderts, zeigt einen gelbgrünlichen Fond, der von einer etwas helleren Bordüre umrahmt wird. Zentralfigur ist die auf Wolken thronende Göttin Kuan-yin, die Göttin der Barmherzigkeit. Einzelne Päonien- und Nelkenblüten versinnbildlichen im unteren Fonddrittel die Erdnähe. Die chinesische Linie schließt als schmale Umrahmung das Bild ein. Eine in ein Gitterwerk eingelagerte Blütenbordüre bildet den Rahmen dieses selten schönen Bildteppichs, der in Seide geknüpft wurde, deren Glanz durch Goldbroschierungen noch er-

Abb. 61
Prozessionsteppich. 19. Jahrhundert. Knoten: Wolle; Kette und Schuß: Baumwolle. Kunsthandel Bernheimer, München.

höht wird. Die beidseitigen langen Fransen verweisen darauf, daß dieser Teppich nicht als Wandbild diente, sondern als Decke eines Tisches oder einer Truhe.

Ein anderer Wandteppich (Abb. 61) beschränkt sich auf die rein figürliche Darstellung. Seine Umrahmung bildete eine Paneelwand, in die er als Bild eingelassen war. Auf dunkelblauem Grund steht eine Prozessionsgruppe auf einem Wolkenstreifen, in dessen Mitte ein Kranich sitzt. Es ist eine Gruppe von weisen Männern, die die Zeichen ihrer Würde in ihren Händen

tragen. Über ihren Köpfen sind die acht buddhistischen Symbole der glücklichen Weissagung in einer Reihe angeordnet. In der gleichen Art, wie es auf chinesischen Malereien üblich ist, ließ der Besitzer seinen Namenszug in die rechte untere Ecke des Teppichs einknüpfen. Die kaum sichtbaren dunklen Schriftzeichen benennen heilige Sprüche.

Abb. 62
Pekingteppich, 19. Jahrhundert.
Knoten: Wolle und Seide; Kette und Schuß: Baumwolle.
350 × 280 cm.
Privatbesitz.

Abb. 63 Mandarinteppich, vermutlich Peking, 19. Jahrhundert. Knoten: Wolle; Kette und Schuß: Baumwolle. 140 × 90 cm.

Die Peking-Bodenteppiche des 19. Jahrhunderts sind in ihrer Musterung sehr sparsam; sie belassen dem einzelnen Motiv seine Wirkung, nur die Bordüren zeigen manchmal eine etwas lebhaftere Dekoration. Ein sandfarbiger Pekingteppich (Abb. 62) beschränkt sich im Fond auf ein kleines Blütenmedaillon, das in den Ecken in feiner Zeichnung abgewandelt wird. Die eigentliche Fondfläche wird von verstreuten Blütenzweigen in großen Abständen gefüllt. Ein lebhaftes Blattmuster in einer Doppelbordüre bildet die Umrahmung. Die Farben der Musterung reichen vom hellen bis zum dunklen Blau; für die Knotung wurde Wolle und Seide benutzt.

In die Gruppe der Mandarinteppiche ist ein hellgrundiger Teppich (Abb. 63) einzuordnen, der Erinnerungen an die Vasenteppiche des 18. Jahrhunderts erweckt. Im hellen Fond stehen drei mit Blüten gefüllte Vasen in der Mitte, in einer typisch chinesischen Anordnung. Zwei frei gelagerte Blütenzweige leiten zu den Eckfüllungen über, die sich jeweils auf eine weit geöffnete Päonienblüte beschränken. Eine breite, dunkel gehaltene Blütenbordüre umrahmt diesen nicht sehr großen Teppich, dessen ausgewo-

Abb. 64
Pekingteppich, Anfang 20. Jahrhundert. Knoten: Wolle; Kette und Schuß: Baumwolle. 175 × 90 cm.

*Abb. 65
Peking-Galerie,
Anfang
20. Jahrhundert.
Knoten: Wolle;
Kette und Schuß:
Baumwolle.
365 × 80 cm.*

gene Komposition durch die sparsame Farbwahl – sie beschränkt sich auf ein helles Braun, zwei Blautöne und wenig Altrosa – unterstützt wird.
Im Aufbau ähnlich ist ein blaugrundiger Teppich (Abb. 64) mit einem Baum-Vogel-Medaillon und Blüten im Fond. Lebhafter ist hier die Bordüre, die Vasen auf blauem Grund zeigt und zwischen ihnen in hellgrundigen Feldern je einen Blütenzweig.
Zu den Seltenheiten unter den Pekingteppichen gehört eine Galerie (Abb. 65), in der es die Knüpfer mit Geschick verstanden, in ein ihnen fremdes Format klassische Muster einzuordnen. An den Schmalseiten wird in abgewandelter Form das Motiv aufgenommen, das von Säulenteppichen her bekannt ist. Es sind aufsteigende Wellen mit sprühenden Wassertropfen. Schriftzeichen und Blüten leiten zum Mittelmedaillon dieses blaugrundigen Teppichs über. Das quergelagerte, die Breite betonende Medaillon wird von vier Drachen gebildet, die sich um eine geöffnete Blüte lagern. Auf der schmalen Bordüre stehen durch Blattwerk verbundene hellfarbene Blüten.
Zusammenfassend kann über die im Osten Chinas gelegenen Manufakturen von Shanghai, Tientsin und Peking gesagt werden, daß, mit Ausnahme von Peking, in ihnen vorrangig Teppiche entstanden, die für den Export bestimmt waren. Klassische Muster wurden und werden auch dort geknüpft, doch nur in begrenztem Rahmen. Stilbildend wirkte in dieser Region nur Peking mit der Entwicklung des Palastteppichs, dessen stilistische Herkunft allerdings in jenen Gebieten zu finden ist, die an Zentralasien angrenzen.

Die Manufakturen von Ninghsia und Paotou

Die Herstellungsgebiete der chinesischen Teppiche, die seit den Anfängen der Knüpferei die qualitativ besten und stilistisch reinsten Arbeiten lieferten, lagen am Rande des chinesischen Großreiches, an den Grenzen zur Mongolei. Es waren immer Gebiete, in denen eine Bevölkerung lebte, die sich aus unterschiedlichsten Stämmen zusammensetzte, von denen einige bis in die Neuzeit ihre völkische Eigenart bewahrt haben. Entscheidend für diese Volksgruppen war aber der Einfluß, den die chinesische Kultur ausübte. Hier wurden vor allem einmal übernommene künstlerische Formen in einer Reinheit bewahrt, die erstaunlich ist. Das bezieht sich vor allem auf die Musterstellungen der Teppiche, die in diesen Landschaften geknüpft werden. Abendländische Einflüsse fanden in diesen fernen Gebieten nicht statt, einmal entwickelte Formen blieben ungebrochen erhalten. Erst in den letzten fünfzig Jahren wurden die Manufakturen dieser Regionen zu Lieferanten von Teppichen, die für die Ausfuhr bestimmt waren; doch selbst diese blieben weitgehend den alten Mustervorlagen treu.
Die heute autonome Region Ninghsia umfaßt eine Fläche von 66 000 Quadratkilometern. Sie grenzt an die Provinzen Kansu und Shansi zum

Landesinneren hin, zugleich bildet sie die Grenzprovinz zur Inneren Mongolei. Ursprünglich wurde sie von den Hui besiedelt, die noch heute als ethnische Minderheit, unter Bewahrung ihres Volkstums, dort leben. Bereits in der Han- und der T'ang-Zeit war diese Landschaft besiedelt, ursprünglich nur von Schafzüchtern, später von seßhaften Bauern, nachdem ein umfangreiches Bewässerungssystem den Anbau von Reis und Weizen ermöglichte.

Ninghsia dürfte zu den Gebieten gehören, in denen die Teppichknüpferei auf eine lange Tradition zurückblicken kann. Wandernde Stämme wurden zu Vermittlern der Technik, das Knüpfmaterial lieferten die Schafe, deren Wolle als die kostbarste Chinas gilt. Sie ist extrem weich und von mattem Glanz; die mit ihr geknüpften Teppiche weisen einen flachliegenden Flor auf und eine höhere Knotenzahl. Die Florhöhe ist niedriger als bei den anderen chinesischen Teppichen und weist keine Schraffur auf. In China wurde der Name Ninghsia zu einem Qualitätsbegriff, der auf alle Teppiche ausgedehnt wurde, die aus dieser Wollqualität bestanden. Hier zeigt es sich wieder einmal, wie verwirrend die chinesischen Teppichbezeichnungen sein können. Doch abgesehen von dieser verallgemeinernden Bezeichnung gibt es einen Teppichtyp, der dieser Landschaft eindeutig und überzeugend zuzuordnen ist.

Im Gegensatz zum Pekingteppich, der sich auf wenige Farben beschränkt, zeigt der Ninghsiateppich eine Fülle von Farben, ohne in Buntheit abzugleiten. Nicht nur die Wollgewinnung in bester Qualität zeichnete diese Landschaft aus. In den Manufakturen verstanden es die Färber,

aus Naturmaterialien erstklassige Farben zu gewinnen, die ihren eigentlichen Ton, den sie beim Knüpfen hatten, weitgehend beibehielten. Es gibt alte Ninghsiateppiche in herrlichen Farben, deren matte Tönungen im Muster vollendet komponiert wurden.

Abb. 66 Ninghsia-Teppich, Anfang 19. Jahrhundert. Knoten: Wolle; Kette und Schuß: Baumwolle. 260 × 165 cm. Privatsammlung.

Erstaunlich ist die Mustervielfalt der Ninghsiateppiche. Es gibt kein sogenanntes Standardmuster; chinesische Symbole und Einflüsse Zentralasiens wurden im wahrsten Sinne des Wortes miteinander so eng verknüpft, daß aus ihnen eine harmonische Einheit entstand. Was für die Muster gilt, kann auch auf die Abmessungen angewandt werden. Sie reichen vom kleinen Deckenmaß bis zum großformatigen Tempelteppich. Was in dieser Region allerdings fehlt, sind Seidenteppiche. Doch ist dies weiter nicht erstaunlich; die Wolle aus eigener Produktion war so hochwertig, daß man auf Seide verzichten konnte. Um aber trotzdem einen Effekt zu erreichen, der dem Seidenteppich gleichkam, wurden in besonders fein geknüpfte Teppiche Goldbrokatfäden eingewebt.

Ein Ninghsia aus dem frühen 19. Jahrhundert (Abb. 66) erinnert in seinem kleingemusterten Fonddekor an die bäuerlichen Karrendecken. Hier wird die Brücke von der bescheidenen Hausweberei zum großformatigen Manufakturteppich geschlagen. Ein schlichtes Oktogonmuster, unterbrochen vom Swastika, bildet ein Füllmuster, das durch die vielfarbigen kleinen Blüten in den Oktogonen belebt wird. Die Bordüre zeigt eine seltene Verbindung von Swastika und T-Zeichen, zwischen denen geöffnete Blüten stehen, die in ihrer Form auf Einflüsse des Vorderen Orients verweisen.

Wahrscheinlich in Ninghsia wurde ein Teppich (Abb. 67) geknüpft, der ebenfalls in seinem Fond ein Füllmuster aufweist. In durch Balken unterteilte Rechtecke sind Blumenmedaillons eingefügt, hier in gleicher Farbstellung. Die Trennbordüren werden durch das Perlmuster betont. Auffallend an diesem Stück ist die Hauptbordüre. Sie enthält buddhistische Symbole, u. a. den Glücksknoten und die Bücher.

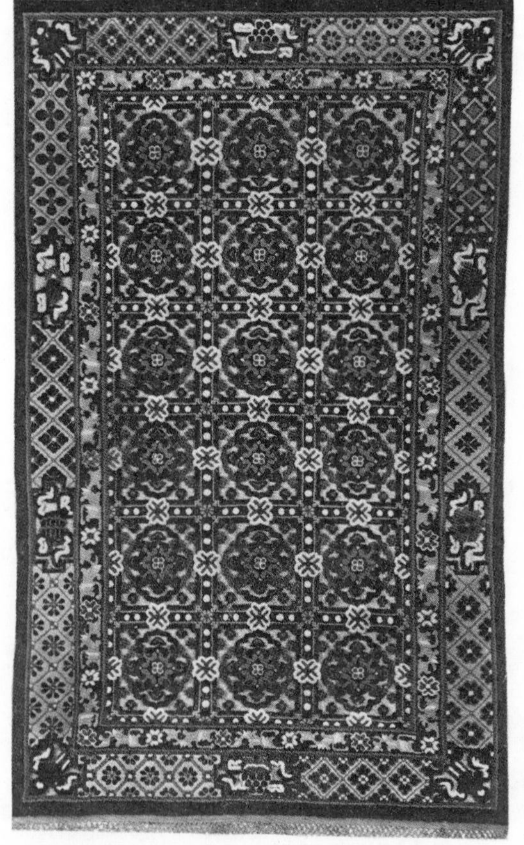

Abb. 67
Ninghsia-Teppich, 19. Jahrhundert. Knoten: Wolle; Kette und Schuß: Baumwolle, mit Goldfäden durchwirkt. 193 × 120 cm. Privatbesitz.

Abb. 68
Ninghsia-Tempelteppich, um 1800. Knoten: Wolle; Kette und Schuß: Baumwolle. 370 × 310 cm.

Die Zwischenräume sind mit unterschiedlichen Schachbrettmustern gefüllt, jeweils auf die Spitze gestellt, in denen Blüten eingelagert sind. In dieser Bordüre legte der Knüpfer Zeugnis ab von den Variationsmöglichkeiten, die sich aus der Vereinigung von Mustern zweier Kulturkreise ergeben. Daß dieser Teppich eine Besonderheit darstellen sollte, beweist auch die Verwendung von Goldfäden als Schußgarn.

Ein großformatiger Ninghsia (Abb. 68) besticht durch die Vielfalt seiner Einzelmuster. Im Fond des einfarbigen Teppichs steht zwischen einem üppigen Blumendekor ein Mittelmedaillon mit dem Shouzeichen, das von einem Kranz von Blüten und stilisierten Faltern umrahmt wird. Drei Bordüren bilden die Einrahmung; in ihnen wechseln Symbole in ausgesparten Flächen mit Blumen ab. Auffallend an diesem Teppich sind die stark betonten Donnerlinien in den Fondekken. Eine betonte Linienzeichnung, die ein Symbol beinhaltet, ist eines der Merkmale der Ninghsiateppiche.

Weit stärker als im eben gezeigten Teppich tritt die betonte Linienzeichnung in einem quadratischen Tempelteppich zutage (Abb. 69). Der rotgrundige, lebhaft gemusterte Teppich ist angefüllt mit buddhistischen Emblemen, die im Fond zwischen Vasen und Blütenzweigen eingestreut sind. Die Eckdekore zeigen farbig versetzt stilisierte Päonienzweige, die ebenso wie die anderen Blüten ornamental ausgeformt sind. Die eckige Formgebung verweist ebenfalls auf Einflüsse, die vom ornamentalen zentralasiatischen Teppich stammen. Die naturalistischen Formen bleiben auf die kleinen Blüten begrenzt. Auch die Perlborte erscheint in einer Abwandlung; sie wird zu einer Reihe von Deckelgefäßen, die das Mittelfeld umrahmen. Die Fülle der Einzelmotive wird von einer breiten Bordüre umrahmt, die plastisch aus dem Untergrund heraustritt. Es ist eine Swastikabordüre, die in schräger Aufsicht erscheint, wobei dieser Eindruck durch die Verwendung von Rot und Gelb für die Innen- bzw. Außenseiten der Winkelformen hervorgerufen wird.

Abb. 69
Ninghsia-Tempelteppich, Mitte 19. Jahrhundert. Knoten: Wolle; Kette und Schuß: Baumwolle. 350 × 350 cm.

Aus der Vielfalt der Ninghsiamuster lassen sich zwei sehr unterschiedliche Grundformen herauslesen. Es gab den Medaillonteppich mit reichem Fonddekor und lebhafter Bordüre und daneben den ruhig gemusterten Teppich, der ein durchlaufendes Fondmuster aufweist. Eine Übergangsform bietet ein langgestreckter Teppich (Abb. 70), dessen rotfarbener Fondgrund mit einem durchlaufenden Muster bedeckt ist.

Vier Felder mit verschlungenem Blattwerk sind das durchlaufende Muster, auf ihnen steht jeweils eine große Päonienblüte. In der Goldfarbe des Blattwerks ist die Bordüre gehalten, gefüllt wird sie mit einer Blütenranke. In seiner betont klaren Musterung und der Begrenzung auf wenige matte Farben erinnert dieser Teppich an die Brokate der Ming-Zeit.

Paotou ist die Hauptstadt des großen chinesischen Grenzgebietes, das als Innere Mongolei bezeichnet wird. Es ist eine Landschaft, die im Laufe der Geschichte immer wieder von anderen Völkern auf Kriegszügen heimgesucht wurde. Vor allem die Hiung-nu, die späteren Hunnen, entwickelten sich zum Schrecken der ansässigen Bevölkerung. Um ihren Überfällen

Abb. 70 Ninghsia-Galerie, 19. Jahrhundert. Knoten: Wolle; Kette und Schuß: Baumwolle. 200 × 85 cm.

Einhalt zu gebieten, wurde mit dem Bau der Großen Mauer begonnen, die später über die gesamte Westgrenze ausgedehnt wurde. Jede der einfallenden Völkerscharen hinterließ nicht nur Verwüstung, sie brachte in diese Landschaft auch Zeugnisse ihrer Kultur ein, die von den Ansässigen übernommen wurden. Die zentralasiatischen Stämme waren als Nomaden Meister des Teppichknüpfens, und wahrscheinlich waren sie es, die diese Technik nach Paotou brachten. Dort entwickelten sich aus der Hausknüpferei wohl bald kleinere Manufakturen, die sich im 19. Jahrhundert vergrößerten. In der Neuzeit wuchs die Teppichknüpferei zu einem großen Wirtschaftszweig, der jetzt vorrangig Teppiche für die Ausfuhr herstellt.

Im ausgehenden 18. Jahrhundert und im Anfang des folgenden konzentrierte sich die Knüpferei in Paotou auf einen Teppichtyp, der leicht erkennbar ist. Die Farbpalette der antiken und alten Paotouteppiche ist eng begrenzt; sie beschränkt sich auf unterschiedliche Blautöne in der Verbindung mit Weiß. Diese Teppiche sind meist kleinformatig und in ihrer Musteranlage naturalistisch. Vorherrschend sind Landschaften mit Tieren, teilweise auch mit Menschen. Daneben gibt es den Vasenteppich in einer Fülle von Variationen. Obwohl die bildliche Darstellung vorrangig ist, handelt es sich bei diesen Teppichen nicht um Wandbilder. Die Muster sind fast immer spiegelbildlich angelegt, das Bild erscheint beidseitig in voller Ansicht. Ihrer sehr lockeren Knüpfung nach waren diese Teppiche nicht für den Boden bestimmt; sie erfüllten ihre Aufgabe als Polster und Decken auf Truhen und Tischen, dort, wo sie ihre Bildwirkung voll entfalten konnten.

Abb. 71
Paotou, um 1900.
Knoten: Wolle;
Kette und Schuß: Baumwolle.
130 × 65 cm.

Die blauweiß gemusterten Teppiche sind aber nur ein Teil der Produktion von Paotou. Die vielfach vertretene Ansicht, es wären in den Manufakturen nur Teppiche dieses Typs gefertigt worden, stimmt nicht. Die Farbstellung Blau-Weiß gehört zu den chinesischen Standardfarben; es gibt kaum eine Manufaktur, in der nicht Teppiche in dieser Farbstellung geknüpft wurden. Deswegen ist auch die Annahme nicht richtig, daß jeder Teppich mit diesen Farben in Paotou geknüpft wurde. Im Laufe des 19. Jahrhunderts begannen die Manufakturen dieses Distrikts ihre Produktion auszuweiten; es wurden Teppiche in nahezu allen Farben geknüpft, ebenso wurde die Musterpalette erweitert.

Ein kleiner, klassisch zu nennender Paotoutep-pich (Abb. 71) beschränkt sich auf zwei Blautöne; Weiß erscheint nur als Abgrenzungslinie. Im schmalen Mittelfeld sind drei Vasen spiegelbildlich angeordnet. In der Mitte eine Vase auf einem Sockel, gefüllt mit Blüten; rechts und links daneben als Vasen benutzte Gefäße, in denen Pinsel stehen. Im Zentrum ein Medaillon, das in einer Vierteilung eine Form des Donnerzeichens trägt. Eine gefaltete Bandbordüre und eine breitere mit einem schräggestellten Swastikasymbol umrahmen den Fond.

Abb. 72
Paotou, um 1900.
Knoten: Wolle;
Kette und Schuß:
Baumwolle.
125 × 60 cm.

In seinem Aufbau ähnlich ist ein anderer Teppich (Abb. 72). Die Außenbordüren sind fast identisch; sie werden an der Innenkante durch eine schmale Perlborte ergänzt. Auf dunkelblauem Grund erscheint das Muster in zwei helleren Blautönen, ergänzt mit Weiß. Der Fond zeigt spiegelbildlich eine Landschaft, dargestellt durch einen Baum mit Blattwerk, in der ein weißgefleckter Hirsch grast. Über ihm schwebt ein großer Reiher. Ausgefallen sind die Ecklösungen im Fond des Teppichs. Diagonal stehen sich eine Schachbrettzeichnung und eine Art von Blitz gegenüber. In der Schräge des Schachbrettmusters ist eine Hütte angedeutet, auf deren Dach eine winzige menschliche Gestalt oder auch nur eine Blüte erkennbar ist. Neben seiner reinen Bildwirkung beinhaltet auch dieser Teppich einen tieferen Sinn. Der Hirsch ist ein Motiv, das von Zentralasien her nach China gebracht wurde und vom Taoismus zum Symbol der Vermehrung des Wohlstandes gemacht wurde. Betrachtet man die beiden Eckmotive als Grundmuster des Klugheit erfordernden Schachspiels, so beinhaltet der Teppich den

Sinn, daß sein Besitzer durch kluges Verhalten zu Wohlstand gelangen möge.
Beide Teppiche zeigen eine Gestaltung der Muster, insbesondere in den Blüten der Vasen und im Blattwerk der Bäume, die zwischen Naturalismus und Stilisierung liegt. In diesen Mischformen zeigt sich der Einfluß zentralasiatischer Muster, die weitgehend zur Stilisierung und Vereinfachung neigen. Die chinesischen Knüpfer schlossen einen Kompromiß, der insbesondere bei den Paotou-Bildteppichen zutage tritt.
In Paotou wurden im 19. Jahrhundert auch Teppiche größeren Formats geknüpft, die der streng naturalistischen Darstellung verbunden blieben. Das zeigt ein sandfarbener Teppich (Tafel 10) mit einer schmalen dunkelblauen Bordüre, in der hellgrundige Reserven mit fein geknüpften Blütenzweigen stehen. Noch feinere Blüten sind über den Fond in weiten Abständen verteilt. Die Fondecken fassen diese Einzelblüten in einem Musterkomplex zusammen. Das Fondmuster wird durch fünf kleine Medaillons ergänzt, vier stehen sich gegenüber. Von besonderem Reiz ist das nicht sehr große Mittelmedaillon, in dessen Blütenkranz ein Pferd und ein Reiher eingefügt sind. Ohne die sehr realistische Tierdarstellung könnte dieser Teppich auch an einem anderen Ort entstanden sein; diese aber verweisen auf Paotou als Herkunftsgebiet.
Sehr stark zentralasiatisch beeinflußt ist ein Teppich (Abb. 73) dieser Provenienz, der sich ebenfalls nur auf zwei Grundfarben beschränkt. Auf rotem Grund trägt er ein diagonales Schachbrettmuster, das mit quadratischen Blüten gefüllt ist. Eine schmale Bordüre mit stilisierten Blumen, der eine breitere mit dem bereits be-

kannten schrägen Swastikamuster folgt, bildet die Umrahmung. Die Musterzeichnung ist einheitlich in Gelb gehalten.
Schachbrettmuster in den unterschiedlichsten Abwandlungen tauchen immer wieder bei Paotouteppichen auf. Bei einem Teppich mit fünfzehn Medaillons (Abb. 74) bilden sie in zwei Blautönen den Untergrund. Im Wechsel stehen zwischen hellgrundigen Rundmedaillons ein-

Abb. 73 Paotou, 19. Jahrhundert. Knoten: Wolle; Kette und Schuß: Baumwolle. 160 × 95 cm.

zelne Blütenzweige, in den Eckmedaillons ebenfalls Blüten; die mittleren zeigen einen Tiger, Vögel und Schmetterlinge. Bei diesem Teppich wurde auf jedwede Umrahmung durch eine Bordüre verzichtet.

Den gesicherten Paotouteppichen sei noch einer hinzugefügt (Tafel 11), der sich sehr schwer einer bestimmten Provenienz zuordnen läßt, denn er stellt in seinem Dekor eine Besonderheit dar. Für Paotou würde die Verwendung von zwei Blautönen sprechen, einem helleren im Fond und einem tiefdunklen in der Bordüre. Die Mustervorlage dieses mit Sicherheit aus China stammenden Teppichs muß aus dem Vorderen Orient stammen. Es sind Koranverse, die in einem breiten Band die Schmalseiten füllen und in drei weiteren Kartuschen auf der Seitenbordüre stehen. Ein zartblaues Blumenband umrahmt den einfarbigen Fond dieses Teppichs, der vermutlich im Auftrag eines islamischen Fürsten geknüpft wurde.

Abb. 74 Paotou, 19. Jahrhundert. Knoten: Wolle; Kette und Schuß: Baumwolle. 165 × 100 cm.

Für den Sammler sind die Teppiche aus Ninghsia und Paotou von besonderem Interesse. Es ist nicht nur ihre gute Wollqualität, die begeistert, es sind vor allem die Muster, die in größerer Reinheit als in den östlichen Manufakturen bewahrt wurden. Hinzu kommt, daß beide Knüpfzentren bis weit in das 19. Jahrhundert hinein naturgefärbte Wolle benutzten.

In der Gegenwart hat sich Paotou auf einen Teppichtyp spezialisiert, der ausschließlich für den Export bestimmt ist. Es werden dort Teppiche guter Qualität geknüpft, die sowohl die alten lokalen Muster aufweisen als auch klassische Muster, die Peking zugeordnet werden. Diese Teppiche werden einer Spezialwäsche unterzogen, die ihnen ein Aussehen gibt, das älteren Stücken durchaus vergleichbar ist. Die Farben erscheinen matt und glänzend, selbst die Struktur der Rückseite erweckt den Eindruck eines alten Teppichs. Wie alle Manufakturen Chinas stehen auch die von Paotou unter staatlicher Leitung, und diese Teppiche werden mit einem Etikett »antique finished« aus der Manufaktur entlassen. Leider hat es sich in der Praxis gezeigt, daß diese Bezeichnung im Handel verlorengehen kann und der Teppich in eine Preiskategorie eingeordnet wurde, die einem realen alten Stück entspricht. Bei genauer Betrachtung wird der Kenner das neue Stück von alten unterscheiden können. Kein noch so guter alter Teppich wird einen so erstklassigen Erhaltungszustand aufweisen wie diese neuen, auf alt gewaschenen Teppiche. Man sollte vor allem auf die Randpartien achten, die selbst dann Gebrauchsspuren aufweisen, wenn der Teppich nur als Wandbehang oder Decke diente. Eine Farbprobe gibt bei diesen neuen Teppichen keine überzeugende Auskunft, denn sie werden weitgehend mit naturgefärbter Wolle geknüpft. Diese Hinweise sind aber ausschließlich für den Sammler alter chinesischer Teppiche wichtig. Geht es nur um den Erwerb eines gefälligen Stückes, dann erfüllt diese neue, qualitativ gute Ware ihren Zweck, vor allem dann, wenn sie zu einem fairen Preis mit den entsprechenden Erläuterungen offeriert wird.

Die Manufakturen der Region Sinkiang: Kaschgar – Yarkand – Aksu – Khotan – Urumqi

Die Teppiche der Region Sinkiang (Xinjiang) bieten eine Fülle von Mustern, die nur aus der historischen Entwicklung dieses Gebietes verständlich wird. Sinkiang wurde erst im 18. Jahrhundert in das chinesische Reich integriert. Das Land, sechsmal so groß wie die Bundesrepublik, trug ursprünglich die Bezeichnung Chinesisch-Turkestan, als Teppichprovinz läuft es unter Ostturkestan. Dieser Name bezeichnet eine Gruppe von Teppichen, die starke Gemeinsamkeiten in Muster- und Farbstellung aufweisen; er wurde ungeachtet der Landesgrenzen gewählt. Zu den Teppichen Ostturkestans gehören auch die aus Samarkand und Taschkent. Beide Städte sind Teil der Sowjetrepublik Usbekistan. Obwohl die Teppiche dieses Gebietes chinesische Einflüsse aufweisen, sollen sie hier ausgeklammert werden, denn sie gehören in die Gruppe der russischen Knüpfarbeiten.

Chinesisch-Turkestan liegt auf einer Hochebene, die von Gebirgen umgeben ist, im Norden vom Altai-Gebirge, im Süden von den Ketten des Kun Lun und Altintagh; im Westen bildet

das Pamir-Gebirge eine natürliche Grenze. In östlicher Richtung schließt das große Lopnor-Sumpfgebiet und die Turfan-Senke Sinkiang von den Ländern Zentralchinas ab. Hinter den Gebirgen liegen die UdSSR, Pakistan, Indien und Tibet, das in der Neuzeit ebenfalls zu einer autonomen chinesischen Volksrepublik wurde.
Das Klima Sinkiangs ist trocken; in früherer Zeit wurden nur die wenigen Oasen, die sich entlang des Tarimbeckens erstrecken, landwirtschaftlich genutzt. Die Oasen Khotan, Kaschgar und Aksu waren einst autonome Fürstentümer. Bis in das 19. Jahrhundert hinein und teilweise noch in der Gegenwart, wird die karge Landschaft von nomadisierenden Schafzüchtern bevölkert. Erst in diesem Jahrhundert begann die Erschließung weiter Landstriche; der Ausbau von Bewässerungsanlagen erlaubte eine intensivere Nutzung des Bodens. Reiche Erdölfunde brachten eine Industrialisierung, wodurch eine Zuwanderung aus Zentralchina erfolgte.
Die Geschichte Sinkiangs spiegelt sich wider in den Volksgruppen, die noch heute in der Zusammensetzung der Bevölkerung klar erkennbar sind. Ihrer Staatsangehörigkeit nach sind sie alle Chinesen. Werden sie nach ihrer ethnischen Zugehörigkeit geordnet, sind sie Uiguren, Kasaken, Hui, Kirgisen, Usbeken, Tataren, Sibirier, Han, Dahuren, Mongolen, Mandschu oder Tscherkessen. Sinkiang wurde zu einem Schmelzkessel asiatischer Völker, die sich weitgehend untereinander vermischten, bis letztlich das chinesische Element beherrschend wurde. Ostturkestan wurde im Laufe seiner Geschichte zu einem Sammelbecken östlicher und westlicher Einflüsse, die alle in der Kultur des Landes

mehr oder weniger bedeutende Einflüsse hinterließen. Ausgrabungen aus vorchristlicher Zeit haben bewiesen, daß selbst der Stil Griechenlands und Roms bis in diese entfernten Gegenden gelangte. In den ersten nachchristlichen Jahrhunderten gehörte Ostturkestan zu dem riesigen Reich von Kushan, das sich über Persien, Nordpakistan und Nordwestindien erstreckte und bis weit nach Zentralasien und Afghanistan reichte. Mit ihm drangen vor allem persische Einflüsse in Sinkiang ein, die noch heute in den Mustern der Teppiche erkennbar sind.

Vom vierten Jahrhundert ab wird Ostturkestan zu einem Spielball der großen Mächte. Den Hunnen folgen im 6. Jahrhundert die Türken, die hundert Jahre später von den chinesischen T'ang-Kaisern vertrieben werden. Im 8. Jahrhundert herrschen die Tibeter über Sinkiang. Um 1200 wird es ein Teil des Reiches der Kankatai-Mongolen. Mit den Mongolen kommt der Islam in das Land und hinterläßt seine religiösen und kulturellen Spuren. Im Tarimbecken bleibt der türkische Einfluß weitgehend erhalten; das Osttürkische wird zu einer Art Landessprache, Kaschgar zu einem Zentrum der vorderorientalischen Kultur. Nur die nördlichen Stämme bewahren ihre Eigenart; sie bilden das Tschagatai-Reich und bleiben ihren alten schamanistischen Glaubensvorstellungen verbunden. Ihr Reich wird im 15. Jahrhundert von den Nachfolgern Timurs zerstört; nur ein Teil kann die Eigenständigkeit bewahren. In der zweiten Hälfte des 17. Jahrhunderts machen sich die Oiraten zu Herrschern über Kaschgar, Yarkand und Aksu. Die Stadt Kaschgar verlieren sie bereits 1759 an die Chinesen, die immer stärkeres Interesse an dem Alleinbesitz von Sinkiang entwickeln. Doch es dauerte noch über einhundert Jahre, bis sich ihr Vorhaben erfüllte. 1865 gründete der turkmenische Söldner Jakub Beg noch einmal ein Reich, das sich über weite Teile Ostturkestans erstreckte. Langsam begann auch das russische Reich sein Interesse an Turkestan anzumelden, was England wenig gefiel. Hätten die Russen Ostturkestan annektiert, wären sie bis an die Grenzen Indiens vorgerückt, das ein Teil des britischen Kolonialreiches war. England zog es vor, dem Expansionsdrang Chinas nachzugeben. Mit Hilfe der Briten gelang es den Chinesen 1877, Ostturkestan in ihren Besitz zu bringen.

Nicht weniger verworren als die politische Geschichte Ostturkestans ist die Geschichte der Entwicklung einer eigenständigen Kunst. Hier soll nur die Entstehung der Teppichknüpferei behandelt werden, über deren Entwicklung unterschiedliche Meinungen bestehen. Die ersten Teppichfragmente wurden bei Grabungen in Loulan von Sir Aurel Stein gefunden. Unter ihnen ist nur ein Teppich gefunden worden, der eine echte Knüpfung aufweist. Er wird in das 2. bis 3. Jahrhundert n. Chr. datiert. In seinem Muster mischen sich florale und geometrische Formen. In seiner Florhöhe von zwei Zentimetern ähnelt er den viel späteren Khotan-Teppichen. Erstaunlich ist die Vielfarbigkeit; sie reicht von Schwarz über Rot, Hellbraun, Pink, Gelb und einem leuchtenden Blau bis zu Weiß. Über die Frage, ob diese Teppiche mongolischen oder chinesischen Ursprungs sind, herrscht keine Einigkeit in der Fachwelt. Die ersten Abbildungen chinesischer Sung-Teppiche (960–1279) zeigen eine völlig andere Musterge-

staltung. Weiter wird von vielen Forschern die Meinung vertreten, daß für die Chinesen Wolle als ein barbarisches Material galt, was bedeutet, daß sie nur von den Völkern verarbeitet wurde, die für die Chinesen Barbaren waren, und zu ihnen gehörten die Mongolen. Im alten China war die Seide das einzig wertvolle Knüpfmaterial.
Was für die Teppiche des ganzen China gilt, kann auch auf die Knüpfereien Ostturkestans angewandt werden. Ein genauer Zeitpunkt, wann die Teppichherstellung im größeren Umfang betrieben wurde, ist nicht auszumachen. Die frühesten erhaltenen Teppiche stammen aus dem 18. und 19. Jahrhundert; nur wenige Stücke erlauben eine vorsichtige Datierung in das 17. Jahrhundert. Allein die chinesischen Annalen verweisen auf eine Teppichherstellung in früherer Zeit. So berichtet der in der T'ang-Dynastie (618–907) lebende buddhistische Mönch Hieun Tsiang in einem Werk über die erstklassigen Stoffe und Teppiche, die in der Provinz Kaschgar hergestellt werden. Seit alter Zeit werden die Teppiche aus Ostturkestan von den Chinesen mit dem Namen Kansu belegt, der aber nur einen Hinweis auf die Handelsstadt beinhaltet, nicht auf den Ort der Herstellung. In Teppichwerken des 19. Jahrhunderts taucht diese Bezeichnung vereinzelt auf als Allgemeinbegriff von Teppichen, die man in dieser Zeit noch nicht genau nach ihrem Herstellungsort benennen konnte. Tatsache ist, daß es noch heute selbst für Experten schwierig ist, Teppiche aus Khotan oder Kaschgar genau zu unterscheiden. Eine Abgrenzung ergibt sich zu den Knüpfereien aus Yarkand. Die Mehrzahl dieser Teppiche, doch nicht alle, weisen Schußfäden aus

blau gefärbter Baumwolle auf, und die Kettfäden verlaufen schräg zueinander.
Bis in die Gegenwart hinein wurden die Teppiche Ostturkestans, vor allem die der chinesischen Manufakturen, unterbewertet. Diese Unterbewertung wirkte sich sowohl im Preis aus als auch in der allgemeinen Beurteilung vieler Sammler. Sie sahen in den Mustern dieser Teppiche ein Konglomerat von unterschiedlichen Stilen – was durchaus richtig ist –, eine oft zu starke Farbigkeit und vor allem eine Knüpfqualität, die dem Teppich des Vorderen Orients nicht gleichwertig ist. Leider, und damit sind die Sammler dieser Teppiche angesprochen, hat sich diese Ansicht gewandelt. Mit der zunehmenden Kenntnis der ethnischen Entwicklung dieser Landschaft wurden diese Teppiche zu gesuchten Stücken; denn in ihnen sind die Einflüsse vieler kultureller Strömungen ablesbar, und die Faszination für den Sammler liegt in der oft vollendeten Vereinigung unterschiedlicher Einflüsse zu einem harmonischen Ganzen.
Aus der Fülle der Teppichmuster kann hier nur ein kleiner Ausschnitt herausgegriffen werden. Die Einteilung in Provenienzen, vor allem in Khotan und Kaschgar, widerspricht dem vorher Gesagten. Wie bei nahezu allen chinesischen Teppichen kann eine Einordnung auch hier nur mit Vorbehalten erfolgen. Die Provenienzbestimmung antiker und alter Teppiche Chinas wird immer ein Problem bleiben, das nur bedingt lösbar ist.
In Chinesisch-Turkestan wurden und werden Teppiche in Wolle und in Seide geknüpft. Diese Landschaft erlangte nicht nur Berühmtheit durch ihre guten Wollqualitäten; bereits im

17. Jahrhundert wird die Seidenraupenzucht betrieben. Die großen Oasen waren Stationen der Handelskarawanen, die entlang der Seidenstraße nach Westen zogen. Sie brachten aber nicht die fertigen Stoffe, sie übermittelten auch die Technik der Raupenzucht, die über Turkestan hinweg dann nach Indien gelangte. Seidenteppiche aus Turkestan weisen bis zu 2500 Kn/qdm auf; alte Stücke zeigen oft zusätzlich eine Gold- oder Silberbroschierung. Wollteppiche entsprechen in ihrer Knüpfdichte den rein chinesischen Teppichen; die Einstellung liegt zwischen 500 und 1400 Kn/qdm. Geknüpft wird ausschließlich im Sennehknoten. Kette und Schuß variieren; es wird Wolle, Baumwolle und Seide benutzt. Ein sichtbarer Kelimrand und belassene Fransen verweisen auf persische Einflüsse. Standardmaße gibt es nicht, es sei denn im Maßverhältnis des einzelnen Teppichs, der in seiner Länge allgemein der doppelten Breite entspricht. Daneben gibt es zwei Sonderformen, den quadratischen Teppich und den Saph, den Reihengebetsteppich, der von den islamischen Volksgruppen benutzt wurde.

Was die Farbkompositionen dieser Teppiche anlangt, so schlagen sie die Brücke vom sparsam gemusterten und auf wenige Farben begrenzten chinesischen Teppich zum persischen, der durch seine Vielfarbigkeit bestickt. Ein Unterschied zum chinesischen Farbengebrauch besteht vor allem auch darin, daß es keine Halbtöne gibt, die als Übergänge geknüpft werden. Die Skala reicht von Braunschwarz über Braun, Grün, Hell- und Dunkelgelb, Türkis und Blau bis zu unterschiedlichen Rottönen; Rot fehlt in keinem Teppich dieser Landschaft.

Abb. 75
Kaschgar, Anfang 19. Jahrhundert. Knoten: Seide; Kette und Schuß: Baumwolle, mit Gold- und Silberfäden broschiert. 403 × 251 cm (Ausschnitt).

Von den Teppichen Ostturkestans weisen die in Kaschgar (Kashgar) geknüpften die erkennbarsten Einflüsse des Vorderen Orients auf. Ein rotgrundiger Teppich (Tafel 12) weist ein durchlaufendes Fondmuster in den Farben Blau und Beige auf, das von Vasenreihen gebildet wird, aus denen streng geformte Blüten emporsteigen; es sind stilisierte Päonien. Umrahmt wird das Feld von einigen schmalen Bordüren und einer für das Format des Teppichs sehr breiten Borte. Sie nimmt die Farben des Zentralmusters auf. In ihrer Formgebung entspricht sie einem türkischen Vorbild, in dem der Forscher Bidder ein religiöses Zeichen der Turkvölker zu erkennen glaubt.

Um ein vielfaches feiner in der Musterung ist ein Seidenteppich (Abb. 75), der mit Gold- und Silberfäden broschiert wurde. Seine Farben sind Altgold, Dunkelblau, Oliv und Dunkelbraun. Der Fond wird von einem eng gestellten, versetzt angeordneten Rankenmotiv, das in Blüten

endet, bedeckt. Die Hauptbordüre wird beidseitig von je drei schmalen Bordüren begrenzt, sie zeigt eine Ranke in Sternform mit kleinen Blüten.
Eine Besonderheit stellt ein quadratischer Teppich dar (Abb. 76). In ihm sind die Einflüsse beider Kulturkreise, des östlichen und des westlichen, klar erkennbar. In einem kleinen Mittelfeld des Teppichs, der in Dunkelblau und Rot gehalten ist, sind vier große Blüten angeordnet, die in ihrer Struktur an die Gülmuster der Bocharateppiche anklingen. Ähnlich geformte Blüten, durch Blattwerk verbunden, füllen die breite Hauptbordüre. Der Einfluß Chinas tritt in zwei schmalen Bordüren zutage. Als Fondumrahmung und als Außenrand dient die chinesische Linie, einmal in schräger, einmal in gerader Stellung. An diesem Teppich ist erkennbar, mit welcher Intensität unterschiedliche Kunstformen miteinander verbunden wurden.
Die Oase Khotan wurde vor allem durch ihre fein geknüpften Seidenteppiche berühmt, mit denen sie den Kaiserhof in Peking belieferte. Der Handel von Khotanteppichen in China ließ diese Teppichart bekannter werden, als die der anderen Provinzen in Turkestan. Europäische Aufkäufer begeisterten sich schon sehr früh für diese Art von Teppichen, ohne ihre genaue Herkunft ausmachen zu können. Vieles an ihnen erschien chinesisch, doch waren sie in die bekannten Arten nicht einzuordnen. Noch im beginnenden 19. Jahrhundert wurden viele Khotanteppiche der Provenienz Samarkand zugeordnet, bedingt durch viele stilistische Gemeinsamkeiten, die beiden Teppicharten eigen sind. Fehler dieser Form werden noch heute gemacht,

was aber insofern verständlich ist, als es oft nicht einmal einem Fachmann gelingt, klar zu erkennen, ob ein Teppich in Samarkand oder in Khotan geknüpft wurde. Das gilt insbesondere für Stücke aus dem späten 19. Jahrhundert.
Es gibt drei unterschiedliche Muster im Khotanteppich. Erstens: den durchgemusterten Teppich mit Granatapfel- oder Blütenmuster; in ihm finden sich die meisten persischen Elemente. Zweitens: Teppiche, deren Füllmuster eine rechteckige Einteilung aufweist. Drittens: den Medaillonteppich, der in Farbgebung und Musteranlage die meisten chinesischen Motive aufweist. Eine Sonderform ist auch hier der Saph,

Abb. 76 Kaschgar, 19. Jahrhundert. Knoten: Wolle; Kette und Schuß: Baumwolle. 270 × 270 cm. Kunsthandel Bernheimer, München.

der in den Gebetsnischen die Form des Lebensbaumes aufnimmt.
In seltener Reinheit ist das Granatapfelmuster im Fond eines sehr großen Khotan angelegt (Tafel 13, links). Vier Stämme, auf jeder Teppichseite zwei, ragen aus stilisierten Vasen bis in die Teppichmitte; an den Zweigspitzen sind die Äpfel paarig angeordnet. Der dunkelblaue Fond wird von mehreren Bordüren umrahmt, in denen das Rot der Äpfel zur beherrschenden Farbe wird. Während die Außenbordüre der des Kaschgarteppichs vergleichbar ist, nimmt eine schmale Zwischenbordüre das Swastika in Form mehrfarbiger schräglaufender Balken auf.
Eine ähnliche Fondzeichnung weist ein Seidenteppich (Abb. 77) auf, in dem die Granatäpfel ebenfalls in Reihen angeordnet sind; nur treten hier die zarten Äste weniger intensiv aus dem blaßblauen Untergrund heraus. Die Bordüre ist an diesem Teppich sehr einfach gehalten, rote dreilappige Blätter treten aus mattgelbem Grund heraus. Kaum erkennbar ist eine schmale Swastikabordüre als Fondrahmen. Die Expertenmeinungen über die Zuordnung dieses Teppichs sind nicht einheitlich; einige von ihnen ordnen ihn in die Gruppe der Yarkandteppiche ein.
Mit Blüten gemusterte Khotanteppiche weisen eine Eigenart der Zeichnung auf, die sie leicht bestimmbar macht. Es sind immer fünf Einzelblüten an einem Stengel vorhanden. Auf einem rotgrundigen Teppich (Abb. 78) sind die Blüten in Querreihen angeordnet, im Farbwechsel von Gelb und Blau. Einzelblüten und Rauten ergänzen die Musterung, die eine Blütenbordüre umrahmt. Die Außenbordüre vereint die stilisierte Blattform mit dem bekannten Motiv.

Abb. 77
Khotan, um 1850.
Knoten: Seide;
Kette und Schuß: Seide.
363 × 193 cm.

Abb. 78
Khotan, um 1850.
Knoten: Wolle;
Kette und Schuß: Baumwolle.
330 × 150 cm.

Ein dunkelgrundiger Seidenteppich (Abb. 79) erscheint in seinem Muster ruhiger. Hier stehen die Blüten versetzt in Reihen, unterteilt durch eine große Einzelblüte. Die Hauptbordüre mit stilisierten Blüten, eingebettet in Ranken, erinnert stark an einen persischen Teppich.

In den Felderteppichen mit teilweise in Rechtecke eingelagerten Motiven tritt das chinesische Element stärker in den Vordergrund. In einem Teppich (Tafel 13, rechts), dessen Fond mit in Reihen geordneten mehrfarbigen Blüten bedeckt ist, werden die Blüten von chinesischen linearen Mustern umrahmt. Auch hier sind wieder zwei für Khotan typische Bordüren erkennbar, das Dreiblütenmotiv und der türkisch inspirierte Wellenrand.

Abb. 79
Khotan, um 1800.
Knoten: Seide;
Kette und Schuß:
Seide.
320 × 165 cm.

In einem anderen Felderteppich (Abb. 80) mischen sich die Motive in bunten Farben und einer willkürlich erscheinenden Anordnung. Diese Knüpferei erinnert an die Vasenteppiche des 18. Jahrhunderts (s. Tafel 4), die als Vorläufer dieses Typs von Teppich betrachtet werden können. Wahrscheinlich entstanden diese Teppiche schon in Khotan. Ausgeweitet haben sich die Motivvorlagen, die der Knüpfer hier in ihrer ganzen Fülle abzubilden versuchte. Es fehlt weder das Fünfblütenmotiv noch die Vase; Drachenzeichen erscheinen in vereinfachten Formen, auch das Zeichen Shou fehlt nicht. Dazwischen stehen weit geöffnete große Blüten, die an Medaillons erinnern. Starke Blütenzweige zeigen nicht mehr den Schwung der rein chinesischen; sie erscheinen abgekantet, persischen Vorbildern folgend. Ein nicht ganz in die Mitte gestelltes Medaillon besteht aus farblich unterschiedlichen Kreisen, die sich einem Oktogon annähern. Hier sollen wohl Erinnerungen an das ineinander verschlungene Yin-Yang-Motiv anklingen. Ganz klassisch ist die Hauptbordüre mit einem Swastikamuster. In diesem Teppich zeigt sich die ganze Fülle an Motiven unterschiedlichster Herkunft, die von Ostturkestan aufgenommen und bewältigt wurde.

Dem chinesischen Vorbild am engsten verbunden sind die Khotan-Medaillonteppiche, sowohl in der Mustergestaltung als auch in der

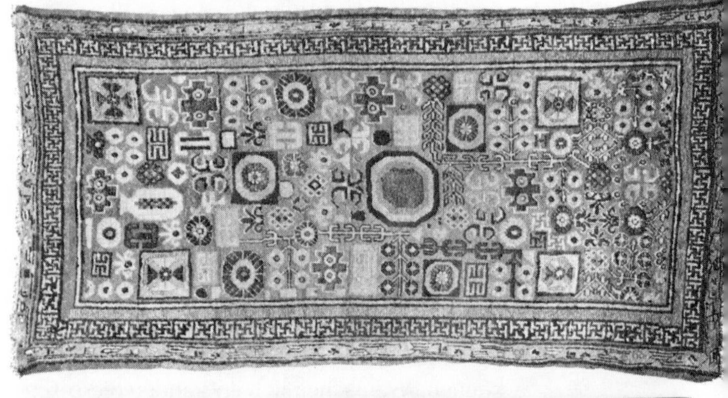

Farbkomposition. Der rotgrundige Fond eines verhältnismäßig kleinen Teppichs (Abb. 81) zeigt ein Mittelmedaillon mit dem Shouzeichen, das von großen Päonienblüten umrahmt wird. Als Ausschnitt füllt das gleiche Motiv die Fondecken. Zwischen ihnen stehen Vasen, aus denen ein großer geöffneter Blütenkelch ragt. Geöffnete Blüten bilden die Überleitung zur Mitte, die seitlich von vier Geflechten umrahmt wird. Die lebhafte Fondzeichnung wird von einer einfachen Swastikabordüre, der eine weitere mit Päonien folgt, umrahmt.

Abb. 80 Khotan, Ende 19. Jahrhundert. Knoten: Wolle; Kette und Schuß: Baumwolle. 332 × 152 cm.

Die Provinz Yarkand bildet die Grenze zu Pakistan. Teppiche aus dieser abgelegenen Landschaft gehören zu den Seltenheiten. Ihre hervorragende Qualität läßt auf eine lange Knüpftradition schließen, doch hielt sich die Produktion wohl immer in bescheidenen Grenzen und tut es anscheinend auch in der Gegenwart. In den Farben beschränken sich die Yarkandteppiche meist auf zwei Grundfarben, Rot und Blau; zu ihnen tritt ergänzend ein sehr dunkles Braun. Die Musterauswahl ist ebenfalls begrenzt, das Hauptmotiv ist der Granatapfel. Im Gegensatz zu den Granatapfelmustern Khotans wird beim Yarkandteppich weniger die Frucht betont, hervortretend ist die Baumgestaltung. Zwischen ihr sind die Granatfrüchte kugelförmig als Zweigspitzen eingebettet.

Ein gutes Beispiel bietet ein Yarkand (Abb. 82), der ein rotes Granatmuster auf leuchtend blauem Grund zeigt. An den Schmalseiten treten jeweils zwei Bäume aus Vasen hervor; das Muster ist spiegelbildlich zur Mitte hin angelegt. Die Zeichnung des Geästs ist betont; die Zweige enden teils in kleinen Blüten, teils in den Früch-

Abb. 81 Khotan, um 1850. Knoten: Wolle; Kette und Schuß: Baumwolle. 165 × 285 cm.

ten, die in unterschiedlichen Größen vorkommen. Die Umrahmung bildet eine mehrfach gestaffelte Bordüre, in deren Einzelstreifen das Argali, das Widderhorn, als Zeichnung auftritt. Es ist ein zentralasiatisches Motiv, das die Erde und die Finsternis versinnbildlicht. In der Mittelbordüre taucht eine Zeichnung auf, die in ihrer Herkunft auf das westliche Turkestan verweist. Sie trägt die Bezeichnung Barmak, was soviel wie Finger besagt.

Abb. 82 Yarkand, 19. Jahrhundert. Knoten: Wolle; Kette und Schuß: Baumwolle. 410 × 200 cm.

Die Manufakturen der Städte Aksu und Urumqi wurden erst in der Mitte dieses Jahrhunderts gegründet; sie besitzen keine ausgesprochene Knüpftradition. An beiden Orten werden Teppiche geknüpft mit Mustern, in denen persische Elemente vorherrschend sind, doch sind es keine Kopien persischer Teppiche. Die Aksuteppiche tragen als Hauptmotiv kreisförmige und ovale Medaillons, gefüllt mit Sternblüten. Über den Fond verstreut ergänzen Einzelblüten das Muster. Die Bordüren sind breit; sie werden in schmale Bänder aufgeteilt, in denen Blatt- und Blumenmotive sich abwechseln.

Die Manufakturen von Urumqi, der jetzigen Hauptstadt der Region Sinkiang, sind zu Lieferanten moderner Teppiche geworden. Eine spezielle Stilausrichtung gibt es nicht. In neuzeitlichen Entwürfen treten Muster auf, die persische und ostturkestanische Elemente in vereinfachten Formen miteinander verbinden. Das Ergebnis sind Teppiche mit ansprechenden Mustern, die sich keiner Tradition verpflichtet fühlen wollen. Wie alle Teppiche Ostturkestans weisen sie einen gleichhohen Flor auf. In dieser Beziehung blieb man auch in der Gegenwart dem alten Knüpfstil verbunden.

Ostturkestan war die letzte, für viele Sammler sicher interessanteste Region Chinas, in der die Teppichknüpferei beheimatet ist. Wer sich den Teppichen Chinas mit der Begeisterung des Anfängers nähert, wird über die oft vage erscheinende Zuordnung einzelner Teppiche enttäuscht sein. Diese Enttäuschung wird vor allem dann eintreten, wenn dem Interesse an asiatischen Teppichen das an orientalischen vorausging, was sehr oft der Fall ist. Die Teppiche des Vorderen Orients machen es allgemein dem Sammler leichter, ein Stück genau dem Ort seiner Herkunft oder seiner Stammeszugehörigkeit zuzuordnen. Bei vielen chinesischen Teppichen ist das auch möglich, wie die vorangegangenen Kapitel bewiesen haben. Doch bleibt ein nicht geringer Prozentsatz, der eine Einordnung in unterschiedliche Regionen möglich macht. Beim Kauf chinesischer Teppiche sollte man weniger Wert auf die exakte Bestimmung der Provenienz legen. Ausschlaggebend sollte die Reinheit der Musteranlage sein, denn in ihr beweist sich für den Sammler die Qualität. Eine lockere Knüpfung gehört zu den Eigenheiten chinesischer Teppiche; sie sind mit fein geknüpften Persern nun einmal nicht vergleichbar. Ausschlaggebend für die Haltbarkeit eines Teppichs ist weit mehr die Knotung, die bei den meisten chinesischen Arbeiten von vorzüglicher Festigkeit ist.

Wendet man sich dem chinesischen Teppich als Sammler zu, sollte man sich mit den Religionen und der Kultur Chinas vertraut machen; denn die chinesischen Teppiche sind ein Spiegel der geistigen Entwicklung des größten Volkes Asiens.

DER TIBETISCHE TEPPICH

Im Jahre 1951 wurde das vom Dalai Lama regierte Tibet als autonome Region ein Teil der Volksrepublik China. Damit wurde wohl ein Schlußstrich unter die wechselvolle Geschichte dieses Staates gezogen, der immer mit dem mächtigen Nachbarn, sei es in guter oder weniger guter Form, verbunden war. Wie in der Einleitung bereits gesagt, war es vor allem der beiden Völkern gemeinsame buddhistische Glaube, der ein unlösbares Band knüpfte. Was China aber zur Annektierung Tibets trieb, war durchaus nicht diese Gemeinsamkeit; es waren ausschließlich politische und wirtschaftliche Faktoren, die zur Besetzung des Himalayastaates führten. Die Volksrepublik China wollte Verbindungen, die Tibet mit westlichen Staaten unterhielt, unterbinden und die Grenzen bis zum unbezwingbaren Gebirge ausdehnen. Die westliche Welt sah dieser Besetzung tatenlos zu, die in den vergangenen dreißig Jahren zu einer systematischen Zerstörung dessen führte, was das Leben eines jeden Tibeters ausmachte, der lamaistischen Religion. Erst in den letzten Jahren, als China begann, sich etwas weiter dem Westen zu öffnen, wurden den Tibetern sehr begrenzte Freiheiten in ihrer Religionsausübung eingeräumt. Einige der zerstörten Klöster und

Tempel wurden restauriert. Dabei ging es aber weniger darum, den Gläubigen eine Heimstatt zu geben. Tibet wurde durch China in eine Touristensensation verwandelt, und den fremden Besuchern sollten die Zeugen tibetischer Kultur vorgeführt werden.
Dieser neue Trend in der Behandlung Tibets führte auch zu einer Belebung der Teppichknüpferei im Lande. Tibetische Flüchtlinge fanden in Nepal und Indien eine neue Heimat und in der Teppichknüpferei, die sie alle beherrschten, einen neuen Broterwerb. Es trat wieder einmal eine Entwicklung ein, die für das sogenannte Abendland typisch ist. Mit dem Moment, wo eine Kultur ihrem Zerfall entgegenging, wurde sie interessant. Bis zu diesem Zeitpunkt war das Interesse an der tibetischen Kultur und Kunst auf einen kleinen Kreis von Wissenschaftlern und Sammlern begrenzt. Nach der Besetzung Tibets wurden Ausstellungen veranstaltet und der Kreis derer, die sich für Tibet und seine Kunst begeisterten, wuchs zusehends. Daß die tibetische Kunst und in ihr die Teppiche weiteren Kreisen bekannt wurden, dazu trug das schwere Los der Flüchtlinge bei. Um zu überleben, waren sie gezwungen, das Wenige, was sie auf die Flucht mitgenommen hatten, zu veräußern. Wichtig waren ihnen die Zeugnisse ihrer Religion erschienen, die Rollbilder religiösen Inhalts, Plastiken ihrer Heiligen und Ritualgeräte. Was sie noch mitbrachten, waren ihre Teppiche, die auf der Flucht als Lager und Decke gedient hatten. Was sie in Unkenntnis des wahren Wertes für wenige Rupien in Nepal oder Indien verkauften, kam dann in den europäischen und amerikanischen Handel, in dem man den wah-

ren Wert dieser Kunstwerke wohl erkannte. Inzwischen sind vor allem alte tibetische Teppiche zu gesuchten Raritäten geworden. Gute Stücke werden immer seltener, denn es fand ein gewisser Ausverkauf statt, und selbst in Tibet finden sich kaum noch Teppiche aus dem 19. Jahrhundert, abgesehen davon, daß deren Ausfuhr von großen Schwierigkeiten begleitet ist.

Der Grund, warum tibetische Teppiche hier in Gemeinsamkeit mit den chinesischen behandelt werden, ist ein zweifacher. Formal gesehen ist Tibet ein Teil Chinas, und seine Teppiche sind ein Teil der chinesischen Kunst. Die zweite Begründung ist die, daß der tibetische Teppich, bei aller Eigenständigkeit, die er besitzt, dem chinesischen am nächsten steht. Tibet übernahm zwar, genau wie China, seine Religion aus Indien, kulturell geöffnet war es aber immer nur zu China hin. In den tibetischen Teppichen finden sich keinerlei Parallelen zum indischen Teppich. Die Kultur Chinas war das große Vorbild Asiens; ihre Einflüsse sind in Japan ebenso spürbar wie in Tibet.

Was China und Tibet sowohl vereinte als auch trennte, war die Religion. Im indischen Buddhismus liegt die Wurzel der Religion beider Völker, doch jedes entwickelte eine ihnen spezielle Ausformung des Glaubens. In Tibet fanden der Schamanismus und die Bon-Religion Aufnahme in den neuen Glauben, in China wurde der Taoismus einbezogen. Es gibt wohl eine gemeinsame Symbolwelt, ihre Ausformung ist aber sehr unterschiedlich. Hinzu kommt, daß Tibet im Laufe seiner Geschichte mehr künstlerische Formen Zentralasiens aufnahm als China, herrschte es doch über einen langen Zeitraum

hinweg in Ostturkestan. Doch nicht anders als in China entwickelte sich in Tibet eine völkische Kunstform mit ausgeprägten Musterkomplexen, die auch den Teppichen ein einheitliches und unverkennbares Bild geben.
Tibet tritt erst mit dem siebenten Jahrhundert in die Geschichte Asiens ein. Der König Srong-btsan sgam-po (um 609–649 n. Chr.) gründet im Yarlung-Tal – es liegt im Grenzgebiet zwischen Nepal und Bhutan – ein großes Reich, das sich in den folgenden zweihundert Jahren bis nach Nepal und Nordindien auf der einen Seite und in anderer Richtung bis nach China ins westliche Kansu und das Tarimbecken erstreckt. Wie Einflüsse in das Kunsthandwerk beweisen, müssen die Tibeter mit den Sassaniden und den islamischen Arabern Kontakte unterhalten haben. Um 800 kam der Buddhismus nach Tibet. Schon 850 bricht das große Reich auseinander und bleibt bis zum 13. Jahrhundert in kleine Fürstentümer gespalten. Der Einbruch der Mongolen zwingt die Fürsten erneut zu einer Vereinigung, in der sich der Klerus an die Spitze des neuen Staates setzt. Bis zum Jahre 1959 blieb es ein Kirchenstaat, dessen Oberhaupt der Dalai Lama war.
Die tibetische Bevölkerung setzte sich aus vier sehr unterschiedlichen Gruppen zusammen. Um den Dalai Lama scharte sich ein Heer von Mönchen, die in großen Klosteranlagen lebten. Sie waren dem chinesischen Beamtenstamm vergleichbar; die Äbte der Klöster waren geistliche und weltliche Herrscher in ihrem Gebiet. Sie sorgten für eine Ordnung, die vom Volk bereitwillig hingenommen wurde, auch wenn man ihnen damit schwere Lasten auferlegte.

Das Volk ernährte die Klosterinsassen. Um die Klöster bildeten sich Ansiedlungen, aus denen später die Städte wurden. Sie waren Handelsplätze, und in ihnen lebten die Handwerker. Die Masse des Volkes teilte sich, je nach wirtschaftlichen Möglichkeiten, in Bauern und Nomaden auf. Landwirtschaftliche Nutzung des Bodens war nur in den fruchtbaren Tälern möglich; hier wurden auch Wasserbüffel gehalten. Im Hochland lebten die Nomaden, die Schafe und vor allem das Hochgebirgsrind züchteten, den Yak, der neben den Schafen zum Woll- und Lederlieferanten wurde. Die Yakwolle wurde nach China ausgeführt, meist auf dem Tauschweg.

Die Anfänge der Teppichknüpferei sind nicht auszumachen. Vermutlich waren es die wandernden Nomaden, die von zentralasiatischen Stämmen diese Fertigkeit übernahmen, welche aber bald zu einem Handwerk wurde, das in jedem tibetischen Haus beheimatet war. Spärliche Hinweise auf das Vorhandensein von Webwaren geben nur die frühen Texte. In den Annalen des 8. und 9. Jahrhunderts taucht der Begriff »gdan« auf, der sich auf Webereien aller Art bezieht. Er besagt nur, daß man gesponnene Wolle verarbeitete. Die eigentliche, noch heute gebrauchte tibetische Bezeichnung für Knüpfteppich lautet »grum-tse«. Sie findet sich erstmalig in Aufzeichnungen aus dem 11. oder 12. Jahrhundert. Dabei ist es fraglich, ob die erwähnten Teppiche bereits in Tibet von Tibetern geknüpft wurden, oder ob es sich um Knüpfereien handelte, die aus Ostturkestan stammten.

Wie die ältesten bekannten tibetischen Teppiche beweisen – sie sind mit Vorsicht in das

18. Jahrhundert zu datieren – muß sich die Knüpferei im ganzen Land zu einem führenden Handwerk entwickelt haben. Die Teppiche zeigen einen ausgeformten Musterkomplex, der nicht eruptiv entstanden sein kann. Ebenso war man mit der Technik des Färbens vertraut und hatte vor allem eine Knotenform entwickelt, die eigenständig ist. An ihr sind alte tibetische Teppiche leicht erkennbar.
Im eigentlichen Sinn ist der tibetische Teppichknoten kein echter Knoten, es ist eine V-Schlinge, wobei V nicht als Abkürzung steht, sondern als bildhafter Begriff für die Schlingenform. Von einem echten Knoten wird gefordert, daß er einmal oder öfter um einen oder mehrere Kettfäden ringförmig herumgeführt wurde. Das trifft für den Senneh- und Ghiordesknoten zu. Bei der V-Schlinge werden die Kettfäden nicht umwunden, es wird um den Kettfaden eine Schlaufe gebildet, die über einen Rundstab läuft, dessen Stärke unterschiedlich ist. Ist eine Reihe beendet, wird die Schlaufenpartie an der Oberfläche mit einem Messer aufgeritzt; die beiden offenen Enden ergeben die Knüpfung, deren Florhöhe von der Stärke des Rundstabes bestimmt wird. In ihrer Florhöhe sind die tibetischen Teppiche den chinesischen vergleichbar.
Es gibt drei Arten von V-Schlingen (Abb. 83). Grob gearbeitete Teppiche, die ausschließlich als Decken Verwendung fanden, sind nur mit einfachem Durchzug gearbeitet. Um jeden zweiten Kettfaden läuft eine V-Schlinge, die durch mehrere festgeklopfte Schußfäden von der nächsten Schlingenreihe getrennt wird. Diese Teppiche wirken in ihrer Struktur gerippt,

bedingt durch die weiten Abstände der Schlingung. Bei der zweiten Art laufen die Schlingen um zwei Kettfäden; die Kettfäden werden aber nicht parallel angelegt, sie werden von Doppelschüssen im Wechsel gespreizt. Eine versetzte Anordnung der Schlingen ergibt die Wirkung eines enger geschlossenen Flores. Durch die Führung um zwei Kettfäden ist das Gewebe dieser Teppiche fester. Von bester Qualität sind die Teppiche, deren Schlingen durch einen doppelten Schußfaden gezogen sind, dabei werden die

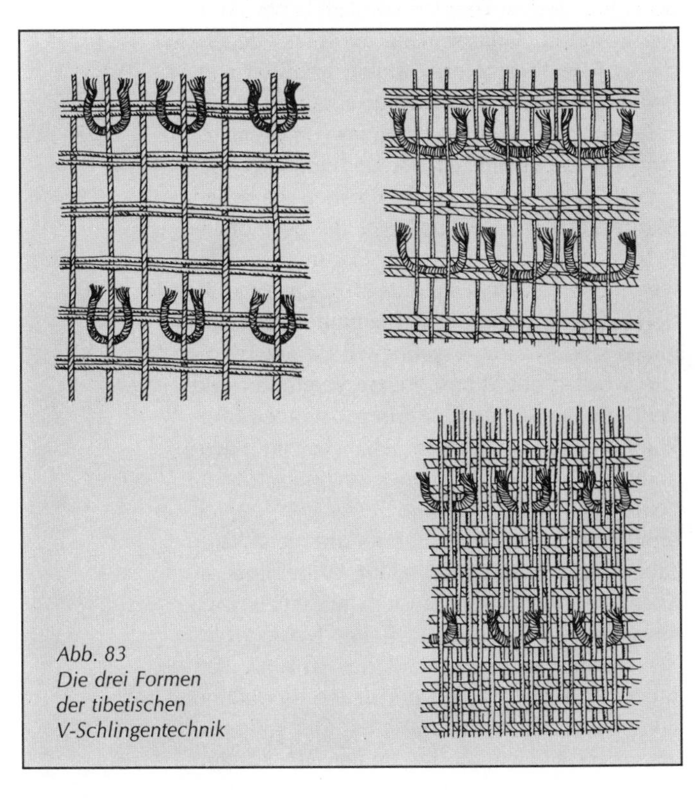

Abb. 83
Die drei Formen der tibetischen V-Schlingentechnik

beiden umschlungenen Kettfäden durch einen dritten mittleren getrennt, der unter dem doppelten Schuß und der Schlinge hindurchläuft. Bei Teppichen, die diese Schlingentechnik aufweisen, sind auf der Rückseite nur Kette und Schuß sichtbar. Nur bei intensivster Benutzung treten durch den Abrieb des Untergewebes stellenweise die Musterpartien hervor. Die Schlingentechnik wurde vor allem bei den in Heimarbeit hergestellten Teppichen angewandt.
Die in der Gegenwart von Tibetern für den Export hergestellten Teppiche sind im Sennehknoten geknüpft. Unterschiede zwischen denen, die in Tibet, Nepal oder Indien geknüpft werden, gibt es kaum. Sie bestehen allein in der Mustergestaltung. Während man im von China regierten Tibet bemüht ist, den traditionellen tibetischen Teppich herzustellen, haben die neuen Manufakturen der Flüchtlinge, die ausschließlich im Auftrag europäischer Exporteure arbeiten, modernisierte Tibetmuster in die Produktion aufgenommen, die nicht immer bestens geglückt sind. Muster ursprünglich kleiner Teppiche wurden auf Wunschmaße vergrößert und verloren damit ihren Reiz. Ebenso wurden Farbkomponenten aufgenommen, die nur dem abendländischen Geschmack Rechnung tragen. Leider vollzog sich mit dem tibetischen Teppich ähnliches, was sich seit Jahren am marokkanischen Teppich beobachten läßt. Beide Teppicharten bieten in ihren Mustern nur noch vage Hinweise auf ihre ursprünglichen Muster. Was den tibetischen Teppich anlangt, so kann man sagen, daß nur ein Teil der neuen Produktion vom Ursprünglichen abweicht. Das Interesse am unverbildeten Muster ist bei den Käufern

groß genug, um reine Kopien von schönen alten Teppichen in Originalmaßen entstehen zu lassen.

Wenn eingangs gesagt wurde, ein alter tibetischer Teppich sei an der Schlingentechnik erkennbar, so gilt das vorrangig für die einfachen Arbeiten, die im Haus für den eigenen Bedarf angefertigt wurden. In den Klöstern und den Häusern der tibetischen Adelsfamilien gab es Teppiche, die im Sennehknoten geknüpft waren. Sie wurden entweder von den Mönchen selbst gearbeitet oder entstanden in Kleinmanufakturen, die die wohlhabende Schicht mit Teppichen versorgten. Aus diesen Manufakturen kamen auch die Teppiche, die sich stark an chinesische Vorbilder in ihren Mustern anlehnen. Wahrscheinlich gab es auch eine Gruppe von Wanderknüpfern, die von Ort zu Ort zogen, um die Aufträge ihrer Kunden zu erfüllen.

Da in allen Schichten des Volkes Teppiche geknüpft wurden, gibt es mehrere Arten von Knüpfstühlen. In den Häusern und Manufakturen wurde der horizontale Stuhl gebraucht, die Nomaden benutzten den vertikalen Knüpfstuhl. Bei ihm wurden die Kettfäden über ein Brett gespannt, das mit Pflöcken im Boden befestigt wurde. Die Bretter am Anfang und Ende des Knüpfstuhles wurden mit der notwendigen Spannung versehen, und die Arbeit konnte beginnen. Wurde der Platz gewechselt, rollte man beide Leisten auf. Vertikal geknüpfte Teppiche sind immer lockerer und in der Zeichnung selten klar. Je öfter die Arbeit unterbrochen wurde, desto unsauberer stellte sich das Muster dar. Neben diesen beiden über ganz Asien verbreiteten Webstühlen gab es eine dritte Knüpftechnik, die

nur in Tibet beheimatet ist. Bei dieser verzichtete man auf eine zweite Leiste, nur eine hielt die Kettfäden fest. Die Enden der Fäden wurden zu einem Seil gedreht, das über den Rücken des Knüpfers lief, und so wurde die notwendige Spannung des Kettgarns erzielt. Teppiche, die in dieser Technik geknüpft wurden, sind extrem locker. Die Zusatzgeräte beschränkten sich auf einen Anschlagkamm und ein Schneidmesser.
Tibetische Teppiche wurden aus Yakwolle geknüpft; die Wolle von Schafen und Ziegen fand nur begrenzte Verwendung. Alte Teppiche bestehen ausschließlich aus Wolle, die für Kett- und Schußfäden ungefärbt verwendet wurde. Erst nach 1900 wurde Baumwolle aus China in den Manufakturen für das Untergewebe benutzt. Seide wurde in Tibet nicht gewonnen; Seidenteppiche mit tibetischen Mustern sind sehr vereinzelt in den chinesischen Grenzgebieten geknüpft worden. Bis in das 20. Jahrhundert hinein wurde die Yakwolle mit Naturfarben getönt; erst nach der Jahrhundertwende drangen die Anilinfarben über China hinweg nach Tibet vor. Ihre Verwendung blieb aber auf das gewerbliche Knüpfhandwerk beschränkt. Die von Nomaden geknüpften Teppiche weisen auch weiterhin Pflanzenfarben auf, während die Hausweberei ihren Bedarf an Wolle durch den Handel deckte, der vielfach Kunstfarben anbot. Die Mehrzahl der alten Teppiche weist beide Farbarten auf. Da sich die Yakwolle in unterschiedlichen Tönungen anbot, wurde sie weiterhin ungefärbt benutzt.
Nicht anders als in China dienten die tibetischen Knüpfereien weniger als Bodenbelag, sondern als Decken, Sitzkissen, Satteldecken und in den

Klöstern als Säulenteppiche. In der Länge überschreiten sie selten das Maß von 180 cm; viele nähern sich quadratischen Formen an. Nur die in Klöstern und großen Häusern benutzten Bodenteppiche erreichen Formate von 300 × 400 cm; sie gehören aber zu den Seltenheiten. Die Florhöhe kann bis zu zwei Zentimetern reichen; bei Teppichen mit Baumwolluntergewebe ist sie meist geringer. Bedingt durch den feineren Baumwollfaden ist bei diesen Stükken auch die Knüpfdichte enger als bei reinen Wollteppichen.

Das Knüpfen von Teppichen war ein in ganz Tibet verbreitetes Handwerk; es war die Domäne der Frauen. Auch die Wanderknüpfer waren Frauen. So wird berichtet, daß die Knüpferinnen aus Gyangtse nach Lhasa kamen, um dort Teppiche zu knüpfen. Erst in der Neuzeit begannen auch die Männer, sich diesem Handwerk zuzuwenden. Das trifft vor allem auf die Flüchtlinge in Nepal zu. Neben der Hausknüpferei entwikkelten sich zu Anfang des 19. Jahrhunderts Zentren mit Manufakturen, die aber kaum die Größe eines Familienbetriebes überschritten. Es war die Zeit, in der tibetische Teppiche das Interesse des Auslandes eroberten und erste europäische Aufkäufer das Land besuchten. Der Export fand aber nicht über China statt, es war Indien, das die Brücke nach Tibet schlug. In den Orten Darjiling und Kalimpong, nahe der tibetischen Grenze, hatten sich reiche tibetische Familien angesiedelt. Ebenso wie die gut situierten Inder und vor allem die Engländer verbrachten sie dort die Sommermonate. In ihren Häusern lernten die Briten tibetische Teppiche kennen und schätzen; bald tauchten diese Teppiche in den

Basaren beider Städte auf und fanden ihren Weg nach England.
Der Handel begann drei Arten von tibetischen Teppichen zu unterscheiden und sie mit speziellen Begriffen zu benennen, wobei diese Namengebung in bezug auf die Herkunft aber ebenso vage ist, wie bei den Teppichen aus China. Die erste Gruppe von Teppichen trägt die Bezeichnung *Gyangtse*. Sie wurde nach der Handelsstraße benannt, die von Lhasa nach Kalimpong führt. Die alten Gyangtseteppiche wurden in den ehemaligen in Zentraltibet gelegenen Provinzen Ü und Tsang geknüpft; ihr Name benennt nicht mehr als den Weg, auf dem sie nach Indien kamen. Der zweite Typ von Teppich kam aus Gebieten, die von Tibetern besiedelt waren, aber unter chinesischer Oberhoheit standen. Es waren die Regionen Amdo in Kansu und Kham in Szetschuan. In dieser Landschaft wurden Teppiche unterschiedlicher Musterstellung geknüpft. Aus Amdo kamen Teppiche mit rein tibetischer Zeichnung. Daneben wurden aber solche mit chinesischen Mustern gefertigt, die sich vom echten chinesischen Teppich nur durch die Technik unterscheiden. Sie wurden in V-Schlingen geknüpft und wirken in der Struktur gröber.
Auch die Teppiche aus Kham weisen chinesische Einflüsse auf, die sich vor allem in der Farbstellung ausdrücken, die sich auf Blau-Weiß beschränkt. Die Knüpfung ist sehr grob, bei einer erstaunlichen Mustervielfalt. Neben Swastikabordüren tauchen tibetische Blumenmuster auf, die mit unterschiedlichen Symbolen verbunden werden. Die Khamteppiche tragen die Bezeichnung *Tso*.

Die besten tibetischen Teppiche, zu ihnen zählen vor allem die in größeren Formaten, werden *Gya-rum* genannt. Ihre Herstellungsorte sind nicht genau lokalisierbar; vermutlich wurden sie in Lhasa oder in den Klöstern von wandernden Knüpferinnen gefertigt.

In der Praxis ist es sehr schwierig, einen tibetischen Teppich genau einzuordnen. Es gelingt wohl bei Stücken, die ein für eine bestimmte Landschaft prägnantes Muster aufweisen; doch ist das bei den wenigsten der Fall. Eine gewisse Möglichkeit der Bestimmung, für welche Volksgruppe der Teppich bestimmt war, ergibt sich aus den Grundfarben. Weißgrundige Teppiche dienten profanen Zwecken, rot- oder gelbgrundige waren den Klöstern vorbehalten. Beide Farben waren die jeweiligen Zentralfarben der zwei in Tibet herrschenden lamaistischen Sekten.

Die Ansichten über die Musterentwicklung des tibetischen Teppichs gehen weit auseinander, bedingt durch nicht vorhandene frühe Beispiele. Einflüsse des Kaukasus sind erkennbar, nur ist nicht zu klären, ob sich in beiden Gebieten, unabhängig voneinander, ursprüngliche Muster erhalten haben oder ob die Muster zu einem späteren Zeitpunkt in Form von Vorlagen nach Tibet gelangten. Sicher ist es, daß Tibet in den Jahrhunderten seiner größten Ausdehnung Anregungen aufnahm, die sich in der Kunst der eroberten Länder anboten. Alle Fremdeinflüsse wurden aber in eine Form umgewandelt, die einen unverkennbar tibetischen Stil ergab.

Viele tibetische Teppiche erwecken einen unvollendeten Eindruck. Sie weisen keine Bordüre auf, und am Rand enden die Muster willkürlich, was den Eindruck eines Fragmentes entstehen läßt. Bei einem solchen Teppich handelt es sich aber durchaus um ein Einzelstück, das allerdings Teil einer Partie von Teppichen war, die aneinandergelegt wurden und dann ein geschlossenes Muster ergaben. Zwei Gründe spra-

Abb. 84
Tibetischer Drachenteppich, vermutlich Amdo, 19. Jahrhundert. Knoten: Wolle; Kette und Schuß: Wolle. Ca. 90 × 60 cm.

chen für diese Form der Anfertigung. Kleine Webstühle erlaubten nur das Knüpfen kleinformatiger Teppiche, die allgemein als Decken Verwendung fanden. Die kleinen Stücke aneinanderzulegen war praktischer, als mit einem großen Teppich zu hantieren. Von ihm benutzte man nur, was gebraucht wurde. Ein gutes Beispiel bietet ein solcher Teilteppich mit lebhafter Musterung (Abb. 84). Auf dunklem Grund steht ein Drache in einer für die tibetische Kunst typischen Körperwindung, das Kopfteil ragt unterhalb des Körpers heraus. Ihm gegenüber ein Hahn mit weit gesträubtem Gefieder. Zwischen den Tieren stehen großblättrige Blüten, den chinesischen Päonien verwandt. Chinesisch inspirierte Wolkenmotive sind ebenso vorhanden wie die vom Drachen behütete Wunschperle, die nahe seiner unteren Kralle über einer großen Blüte schwebt. Am oberen Teppichrand taucht der Schweif eines anderen Drachen auf, der auf dem Anschlußstück vermutlich als diagonales Pendant angeordnet war. Seinen chinesischen Einflüssen nach ist dieser Teppich vermutlich in der Region Amdo entstanden.

Vogelmotive finden sich auf vielen tibetischen Teppichen. Der aus der Symbolwelt des Buddhismus stammende Phönix fand auch in die lamaistische Kunst Aufnahme. In einem Teppich (Abb. 85), der sich auf die Farben Braun, Blau und Weiß beschränkt, erscheint der Phönix in Form eines Medaillons. Das Zentrum bildet der Kopf mit einer Blüte im Schnabel; der Körper ist gerundet, Flügel und Federn sind in allen Farben getönt, die der Teppich enthält. Zwei große Blüten leiten zu den Eckdekoren über, die die Zeichnung der Schmalseiten des Teppichs fort-

setzen. Das chinesische Wasser- und Wogenmotiv reicht bis in den Fond; es endet in perlenden Schaumkronen. In der Mitte steht ein Motiv, das als Wunschperle oder als Räuchergefäß zu deuten ist. In den Seitenbordüren werden kaukasische Einflüsse erkennbar. Neben der schmalen Perlborte sind in ausgesparten Feldern je zwei Vasen spiegelbildlich angeordnet; die Zwischenräume sind mit einem untibetischen Rautenmuster gefüllt, das mit stilisierten Blüten ergänzt wird.

Abb. 85 Phönixteppich, Tibet, 20. Jahrhundert. Knoten: Wolle; Kette und Schuß: Baumwolle. Ca. 90 × 180 cm.

Die Wunschvorstellung, die in China von Schmetterlingen erfüllt wird, die Hoffnung auf eine glückliche Ehe, wird im tibetischen Hochzeitsteppich von einem Vogelpaar versinnbildlicht. Ein Teppich in naturbelassener Yakwolle (Tafel 14, links) zeigt im Fond zweimal das Motiv des Vogelpaares auf einem Blütenast. Die Fondecken sind mit einer sehr freien Abwandlung chinesischer Linearmotive gefüllt. Ihre dunkelbraune Farbe wird von einer schmalen Bordüre als Grundton übernommen; auf ihm steht eine endlose T-Bordüre. Die Hauptbordüre läßt sich mit der des vorangegangenen Teppichs vergleichen.

Teppiche dieses Stils, das gilt auch für den folgenden, wurden und werden noch heute in der Landschaft um das große Kloster Shigatse geknüpft. Hier entstanden nicht nur Teppiche mit rein tibetischen Mustern; es wurden auch, und vor allem in der Gegenwart, Motive aufgenommen, die den frühen chinesischen Teppichen vergleichbar sind. An einen Teppich des 18. Jahrhunderts erinnert ein naturfarbener Teppich in braungrauer Melierung (Abb. 86). Das in hellem Braun gehaltene Muster ist rein chinesisch; es zeigt den Drachen in unterschiedlichen Formen. Im Mittelmedaillon erscheint er paarig in Kreisform, flankiert von Fledermäusen. Im Unterschied zu den chinesischen Vorbildern haben die Drachen einfache, gekantete Körperformen, und die Krallen laufen in einem Blattmotiv aus. Eine Swastikabordüre bildet die Umrahmung.

Die gleichen Farben in gegensätzlicher Anordnung zeigt ein Teppich, der im Tibetischen »Shingduk Khorlo« heißt, der »Rosengarten« (Abb. 87). Das Rosenmotiv tritt aber nur in der Umrahmung hervor, die übrige Zeichnung ist chinesisch inspiriert.

Die Musteranlage tibetischer Teppiche ist selten von der Korrektheit bestimmt, die an vielen chinesischen Teppichen besticht. Das liegt einerseits an der Schwierigkeit, die die spröde Yakwolle besitzt, andrerseits tritt in den Teppichen, vor allem den neueren, ein Hang zum Künstlerisch-Monumentalen zutage, der einer Mentalität des Tibeters entspricht. Daneben ist wohl eine Betonung des Bäuerlichen und Ursprünglichen beabsichtigt. Bestes Beispiel dafür ist ein Teppich mit einer Schöpfungsvase (Tafel 14, rechts). Sie steht in überdimensionaler Größe auf einem Wellenberg und füllt den Fond in ganzer Breite aus. Die aus der Vase ragenden Blütenzweige verringern ihre optische Schwere. In seiner imposanten Wirkung ist ein solcher Teppich gut als Wandbehang geeignet. Obwohl er keine religiös bestimmte Grundfarbe hat, erinnert er im Aufbau an einen Säulenteppich.

Abb. 86 Shigatse-Teppich, Tibet, 20. Jahrhundert. Knoten: Wolle; Kette und Schuß: Baumwolle. 180 × 90 cm.

Zum Säulenteppich in einem Tempel bestimmt war ein Teppich mit gelb-orangem Grund (Abb. 88). An dieser Arbeit zeigt sich, daß tibetische Knüpfer durchaus fähig waren, fein geknüpfte Teppiche mit vielen Farbvarianten zu schaffen. Die Länge von 310 cm überschreitet das normale Maß. An der Bodenleiste steht das Erd- und Wellenmotiv, der Wellenberg endet in kaskadenförmigen Wassertropfen. Der Drachenkörper tritt in Ausschnitten auf; um eine Säule gelegt, ist er geschlossen. Die geschuppte Haut wird von Flammenmotiven umzingelt, die Klauen zeigen spitze Krallen, und der Schweif endet mit einem gefiederten Lappen. Monumental tritt am oberen Rand der Kopf mit weit geöffnetem Rachen heraus. Er ist dunkler als der Körper gehalten. Die geblähten Nüstern und die

Abb. 87 (rechts) Rosengartenteppich, Tibet, 20. Jahrhundert. Knoten: Wolle; Kette und Schuß: Baumwolle. 180 × 90 cm.

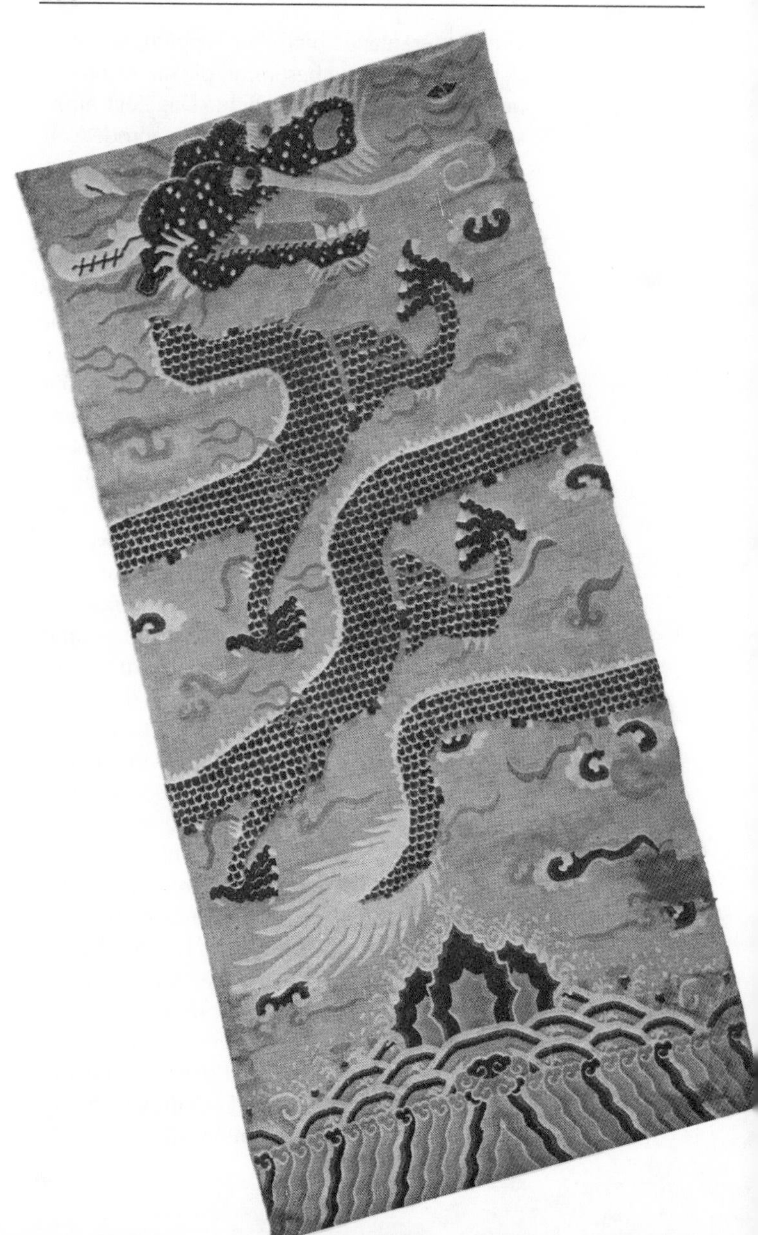

Abb. 88
Säulenteppich, Gyangtse, 19. Jahrhundert. Knoten: Wolle; Kette und Schuß: Wolle. 310×140cm. Privatbesitz.

hervortretenden Augen sind voller Aggressivität auf einen Angreifer gerichtet, der die betont klein gezeichnete Wunschperle, die vor dem Kopf schwebt, stehlen will. In diesem Bild zeigt sich der Unterschied zwischen der tibetischen und chinesischen Auffassung sehr deutlich. Erscheinen die chinesischen Drachen oft fast freundlich, als ruhende Beschützer, ist hier der Drache zur behütenden Furie geworden, die zwischen Wolken gelagert eher zum Angriff als zur Verteidigung bereit zu sein scheint.

An einen groben Khotanteppich erinnert eine rotgrundige Arbeit (Abb. 89), deren gerippt erscheinender Flor auf die V-Schlingentechnik hinweist. Durch das Einfügen mehrerer Schußfäden in starker Wolle nach einer Schlingenreihe ergibt sich der linear wirkende Flor. Die Zeichnung erscheint etwas verschwommen, tritt aber durch die hellen Töne gut erkennbar aus dem roten Grund. Drei Medaillons, zusammengesetzt aus Blüten- und Linearmotiven und mehrfarbig abgesetzten Wolken, füllen den Fond. Einer schmalen Perlborte folgt eine Bordüre mit halbierten Blüten, die kaukasische Einflüsse aufweist.

Ebenfalls nur an der V-Schlingung kann ein Teppich (Tafel 15, oben) der Provenienz Tibet zugeordnet werden, der ein fast klassisch zu nennendes Samarkandmuster aufweist. Im dunkelroten Fond stehen drei Rundmedaillons mit stilisierten Blüten; der schmalen T-Borte folgt eine Bordüre, die in Ostturkestan beheimatet ist. Neben Rottönen bleiben die Farben des Teppichs auf ein fast schwarzes und ein helleres Braun begrenzt; es sind Farben, die eigentlich wenig für einen tibetischen Teppich sprechen.

Abb. 89
Tibetteppich,
Region Amdo,
19. Jahrhundert.
Knoten: Wolle;
Kette und Schuß:
Wolle.
130 × 65 cm.
Privatbesitz.

Abb. 90 Medaillonteppich, Tibet, 19. Jahrhundert. Knoten: Wolle; Kette und Schuß: Wolle. 160 × 90 cm.

Das typische Tibetrot zeigt ein etwas abgeblaßter Vasenteppich (Tafel 19) mit einer Vier-Feldereinteilung und brauner Umrahmung. Aus den unterschiedlich geformten Vasen in bizarren Formen steigen Blütenzweige hervor, die durch die Leichtigkeit ihrer Zeichnung bestechen. Der Bordürenanlage nach war dieser Teppich als Wandschmuck gedacht; in den Einzelbordüren mischen sich tibetische und ostturkestanische Muster.

In die Gruppe der Gya-rum-Teppiche, die als qualitativ beste Knüpfereien gelten, sind sowohl die beiden vorigen Teppiche einzuordnen als auch ein weiterer Medaillonteppich, der durch seine Musterfülle besticht (Abb. 90). Im dunklen Fond stehen drei runde Blütenmotive, die von einem gezackten Band umrahmt werden. Daneben bilden einzelne Blüten das Füllmuster, deren kantige Zweigführung auf kaukasische Einflüsse hindeutet. Sehr ausgefallen sind bei diesem Teppich die Bordürenzeichnungen, die als abgewandelte buddhistische Symbole gedeutet werden müssen.

Den gleichen Stil wie der Vasenteppich (s. Tafel 15, unten) zeigt ein Klosterteppich, der ebenfalls als Wand- oder Türbehang diente (Tafel 16). Auf den vier rotgrundigen Feldern sind jeweils zwei der acht buddhistischen Symbole abgebildet. Im linken oberen Feld stehen die zwei Glücksfische unter dem Schirm, daneben die Urne, die hier in der Form des tibetischen Heiligtums, des Stupa, dargestellt wird. Sie ruht im geöffneten Kelch der Lotosblume. Im linken unteren Feld vereinigen sich die Muschel und der Glücksknoten; im rechten Feld wird das Rad des Gesetzes vom Baldachin beschirmt. Die mehrfarbige Bordüre am oberen Rand ist mit stilisierten Fransen und einer Perlborte geschmückt.
Betrachtet man das Angebot alter und neuer tibetischer Teppiche, tritt ein Muster in den Vordergrund: es ist das Lotosmuster. Die Bedeutung der Lotosblume in der buddhistischen Symbolwelt wurde bereits erläutert. Nicht anders als in China wurde sie im tibetischen Lamaismus in die gleiche enge Verbindung zu Buddha gestellt. Sie ist Sinnbild der schöpferischen Kraft, und unter den Blüten der Jahreszeiten verkörpert sie den Sommer. Während die Lotosblume in China meist nur ein Teil eines Musters ist und in kleiner Form abgebildet wird, entfaltet sie sich in Tibet in ganzer Größe und in vielen Farben und bestimmt den Dekor eines Teppichs. Sicher spielte bei der Entstehung dieses Musters auch die Landschaft eine Rolle, in der die Tibeter lebten. Ihr Land ist von den höchsten Schneebergen umrahmt; es ist karg, und die Wintermonate sind lang und angefüllt von der Sehnsucht nach dem Sommer und blühenden Pflanzen. Diese Hoffnung fand in den Teppichmustern Aus-

Abb. 91 Lotosblütenteppich, Tibet, 20. Jahrhundert. Knoten: Wolle; Kette und Schuß: Baumwolle. 140 × 70 cm.

druck, ähnlich wie bei den zentralasiatischen Nomaden, die sich ihre blühenden Gärten auf Teppichen schufen.

Die Lotosblütenteppiche sind meist in lichten Farben gehalten; erst in der Neuzeit gibt es dunkelgrundige Blumenteppiche. Ein leuchtend roter Teppich (Abb. 91) ist mit acht großen verschiedenfarbigen Blüten gefüllt; die mittleren bilden ein Medaillon. Jede Blüte entspringt einem Zweig, an dem sich weitere Knospen öffnen. Vier Schmetterlinge ergänzen das Muster. Sie erinnern an die chinesischen Hochzeitsteppiche, und vielleicht wurde auch hier das Symbol der guten Ehe ausgedrückt, was sonst in Tibet durch das Vogelpaar versinnbildlicht wird. Lotosblütenteppiche sind immer ohne eine Seitenbordüre geknüpft. Oft endet auch bei ihnen das Muster willkürlich, was bedeutet, daß sie ein Teilstück eines großen Teppichs waren.

Ein neuzeitlicher Päonienteppich (Abb. 92) zeigt die zweite Version der tibetischen Blumenteppiche. Auf tiefdunkelblauem Grund entfalten sich in spiegelbildlicher Anordnung zwei Päo-

nienzweige mit roten und lila Blüten und Knospen zwischen grünem Blattwerk. Die voll geöffnete Blume, ein chinesisches Glück verheißendes Symbol, wurde erst in der Neuzeit in die großflächigen Muster tibetischer Teppiche aufgenommen. Die Schmalseiten dieses Teppichs zeigen das Berg- und Wogenmotiv, das bei älteren Teppichen weniger akzentuiert in Erscheinung tritt. Es ist in seiner Anlage mit den Bodenleisten alter Säulenteppiche (Abb. 88) vergleichbar. An diesem Teppich soll demonstriert werden, welche Wege die zeitgenössische tibetische Teppichknüpferei beschreitet. Diesem Teppich ist durchaus eine stilistische Ausgewogenheit und farbliche Delikatesse zu bescheinigen. Im Vergleich zu älteren Stücken erscheint die Musteranlage aber etwas zu gewollt und überzeichnet.

Abb. 92
Päonienteppich, Tibet, 20. Jahrhundert. Knoten: Wolle; Kette und Schuß: Baumwolle. 180 × 90 cm.

Die Musterpalette der tibetischen Teppiche ist begrenzt. Um so erstaunlicher ist, in welcher Fülle es die tibetischen Knüpferinnen verstanden, diese Muster zu variieren. Ein hellgrundiger Teppich (Abb. 93) zeigt wieder die oft vorkommende Rippenstruktur, obwohl er im Sennehknoten geknüpft wurde. Das Rippenprofil entstand durch das Schußgarn, das nach jeder Knüpfreihe in doppelfädiger dicker Wolle eingeschossen wurde. Ein durchlaufendes Fondmuster gehört bei tibetischen Teppichen zu den Seltenheiten. Hier sind es in Reihen gesetzte Pinienzapfen in blauen Mischtönen. Der Zapfen der Pinie gehört zu den von Legenden umwobenen Früchten. Die Pinie ist eines der Symbole, die ein langes Leben verheißen. Der Legende folgend, soll sich der im Zapfen enthaltene Samen in Ambra verwandeln, wenn der Baum ein Alter von eintausend Jahren erreicht. Ambra war ein hochgeschätzter und wertvoller Riechstoff, der aus dem Darm des Pottwals gewonnen wurde. Die Araber gaben ihm den Namen Amber; über Kleinasien hinweg gelangte diese Seltenheit auch nach Tibet und fand Eingang in die Legende. In der Fondmitte des Teppichs steht ein Medaillon, dessen Mittelblüte von vier blü-

Abb. 93 Tibetteppich, um 1900. Knoten: Wolle; Kette: Baumwolle, Schuß: Wolle. 140 × 80 cm.

tenähnlichen Gebilden umrahmt wird. Dieses Motiv ist aber anders zu deuten. Es sind vier Tierköpfe, von denen die beiden gestreckten, zu den Schmalseiten gerichteten an Yakschädel erinnern. Hier wurde das Tier verewigt, das den Tibetern Nahrung, Leder und Wolle für die Teppiche lieferte. Während die oktogone Anlage des Medaillons auf zentralasiatische Einflüsse hindeutet, sind die beiden Schmalbordüren, die den Fond umrahmen, rein chinesisch; der Perlborte folgt die endlose Linie. Die Hauptbordüre entspricht der des Gya-rum-Teppichs mit den drei Medaillons (Abb. 90), vermutlich entstanden beide im gleichen Knüpfzentrum. Buddhistische Symbole sind in einer lockeren Reihung angeordnet, darunter die Lotosblume, die Muschel, das Rollbild, das Buch und die Flöte. Aufgelockert wird die Zeichnung durch mehrfarbige Bänder, die sich um die Symbole und Glückszeichen winden.

Nicht unerwähnt bleiben sollen die kleinformatigen Sitzkissen, die für profane Zwecke und als Tempelteppiche für die Mönche, oft auch von ihnen, geknüpft wurden. In der Provinz Kham wurden einfache Sitzkissen in der lockeren V-Schlingung gefertigt. Das Standardmuster war ein blauweißes Karo, oft mit vierseitigen Fransen. Die blauweiße Musterung gehörte zu den bäuerlichen Mustern, die über die ganze Welt verteilt zu finden sind; erinnert sei an das europäische Leinen gleicher Musterung. Daneben gab es Kissen in einfachem Blau mit einer weißen Swastikabordüre.

Mit der Herstellung von Sitzkissen nahm die Knüpferei der tibetischen Flüchtlinge in Nepal und Indien ihren Anfang. Die Touristen fanden

Gefallen an diesen Arbeiten, die bald zu einem unerläßlichen Reiseandenken wurden. Erfreulich ist es, daß die Tibeter bei diesen Kissen ihre traditionellen Muster und Farben beibehielten. Es gibt sie mit der Lotosblume und der Mäanderbordüre oder mit buddhistischen Symbolen, die auf einfarbigem Grund meist in einer Kissenecke angeordnet sind.

Alte Mönchsteppiche gehören bereits zu den Seltenheiten. In der Musterstellung sind diese Teppiche den chinesischen vergleichbar. Auf roter oder gelber Grundfarbe herrschen die Drachenmotive vor, daneben erscheint das Donnermotiv in unterschiedlichen Formen (Abb. 27). Auch diese Teppiche werden, den alten Mustern entsprechend, nachgeknüpft.

Im Handel sind die kleinformatigen alten quadratischen Teppiche, die selten das Maß von 40 × 40 cm überschreiten, selten zu finden, denn aus dem 19. Jahrhundert gibt es kaum Stücke ohne starke Gebrauchsspuren, weswegen die Einkäufer meist davon Abstand nehmen, diese Teppiche zu erwerben.

Wie bei allen asiatischen Völkern gehörte auch bei den Tibetern das Pferd zu den Tieren, die im Leben des Menschen eine gewisse Vorrangstellung einnahmen. Als Reit- und Lasttier wurde es vor allem zum ständigen Begleiter der Nomaden. Das den Tibetern eigene Schmuckbedürfnis fand auch in den Pferdedecken und den Sattelauflagen seinen Ausdruck. Vor allem in den Satteldecken zeigte sich die Kunst des Teppichknüpfens in Vollendung. Die Muster dieser Dekken sind stark von den chinesischen Mustern Ostturkestans beeinflußt und haben sich im Laufe der Jahrhunderte kaum verändert. Die

Herstellungszentren der Satteldecken lagen in den Regionen von Amdo und Kham, jenen Landschaften, in denen die Tibeter in engem Kontakt mit der chinesischen Kultur lebten und ihre Anregungen aufnahmen. Bei den Teppichen trat zusätzlich eine Beeinflussung ein, die auf Ostturkestan zurückzuführen ist. Geknüpft wurden die Satteldecken meist in dem festeren Sennehknoten; die V-Schlingung findet sich nur bei einfacheren Stücken, die in der Heimweberei entstanden. Die Technik der Herstellung folgt der chinesischen Art des Knüpfens von zwei Teilen mit spiegelbildlich angelegtem Muster; beide Teile wurden vernäht und mit rotem Filzstoff abgefüttert. Das für Tibet typische Rot bestimmt die Musterung der meisten Satteldekken. Die Sattelunterlagen wurden ebenfalls geknüpft, jedoch nicht mit aufwendigen Mustern, denn sie wurden vom Sattel verdeckt. Man begnügte sich mit einem kleinen Mittelzeichen und einer Bordüre, die das Muster der Satteldecke aufnahm.

Abb. 94
Satteldecke, Tibet, 19. Jahrhundert. Knoten: Wolle; Kette und Schuß: Wolle. Ca. 130 × 65 cm. Privatbesitz.

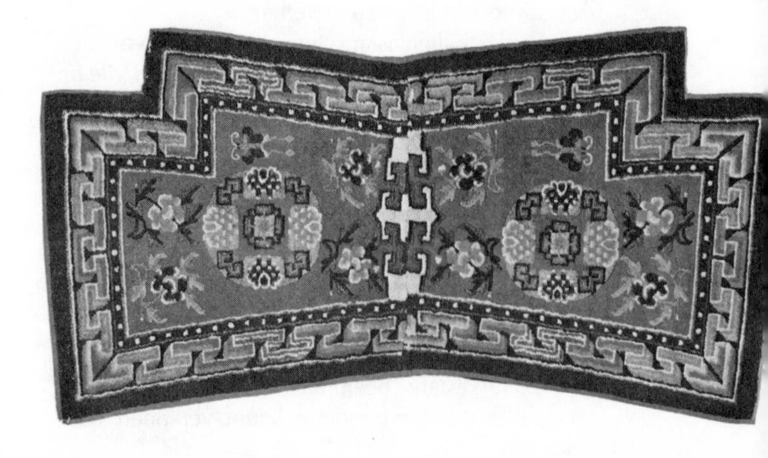

Abb. 95
Satteldecke, Tibet, um 1900. Knoten: Wolle; Kette und Schuß: Wolle. Ca. 130 × 70 cm.

Eine rotgrundige Satteldecke (Abb. 94) erinnert in ihrer Zeichnung an einen Khotanteppich. Das Mittelfeld wird beidseitig von einem Medaillon mit stilisierten Blüten ausgefüllt, ergänzend dazu stehen Einzelblüten und zwei Schmetterlinge. Eine schmale Perlborte bildet die Umrahmung; an sie schließt eine breite Bordüre an, deren chinesische Linie in den Farbtönen rot, gelb, blau und weiß den Khotanteppichen entlehnt ist. Der Hinweis, daß diese Decke tibetanischen Ursprungs ist, wird ausschließlich durch die für Tibet klassische Farbe geliefert.

Eine andere Satteldecke (Abb. 95) zeigt nicht nur ein chinesisch inspiriertes Muster; in ihr beschränken sich die Knüpfer auch auf Blautöne in der Zeichnung, die den Vorbildern entsprechen. Untypisch für China ist die gezackte Umrahmung der beiden Medaillons; sie verweist auf Tibet. In den Medaillons und im Fond stehen Blüten, die als Lotos und Päonien zu deuten sind. Die Perlborte und die endlose chinesische Linie bilden die Umrahmung der Decke. In der

Borte tritt nochmals ein Motiv auf, das nur bei tibetischen Teppichen zu finden ist. In die Hauptbordüre sind geöffnete Lotosblüten eingestreut; sie vermittelten dem Tibeter Kraft, Ausdauer und Glück. Wie bei allen Satteldecken wurde auch hier das rote Futter an den Außenrändern umgeschlagen; so bildet es Umrahmung und Schutz für die Knüpferei.

Unter den asiatischen Teppichen nehmen die in Tibet geknüpften eine Sonderstellung ein. Sie werden nur verständlich, wenn man sich mit der Mentalität dieses kleinen Volkes vertraut macht. Falsch wäre es, diese Teppiche als eine von China und Ostturkestan beeinflußte Mischform zu werten. Beide Kulturkreise hinterließen Spuren in den Mustern der tibetischen Teppiche, es sind Spuren, die teilweise klar erkennbar sind. Das Bild des tibetischen Teppichs wird aber von so viel Eigenem und Ursprünglichem geprägt, daß er als eigenständige Schöpfung gewertet werden muß. Klammert man die fein geknüpften Klosterteppiche aus, so bleibt eine Gruppe von Knüpfarbeiten, in der sich das Wesen des tibetischen Menschen spiegelt. Auch in seinen Teppichen will er nicht mehr darstellen, als er selbst ist. Sie geben Ausdruck von seiner tiefen Gläubigkeit, die mit Heiterkeit gepaart ist. Die Lotosblume ist für den Tibeter religiöses Symbol und leuchtender Ausdruck seiner Lebensfreude. In dieser Verbindung bildet er sie in den Teppichen ab. Fröhliche Farben bestimmen die Kleidung der Tibeter und erfüllen die Teppichmuster, die von einem Volk bäuerlicher Prägung geschaffen wurden.

KAUFEN – GEBRAUCHEN – ERHALTEN

Wer sich zum Kauf eines chinesischen oder tibetischen Teppichs entschließt, sollte vorab einige grundsätzliche Überlegungen anstellen. Es sind Überlegungen, die eigentlich für jeden Erwerb eines Knüpfteppichs Gültigkeit haben. Jeder Teppich ist in seiner Art ein Kunstwerk, das es verdient, seine Wirkung voll zu entfalten. Die ursprüngliche Aufgabe des Teppichs, dem Menschen einen wärmenden Bodenbelag zu bieten, ist für den Menschen der Gegenwart nicht mehr wichtig. Der Teppich wurde zu einem Teil der Inneneinrichtung, die er harmonisch ergänzen sollte, was leider nicht immer der Fall ist. Kaum ein Möbel wird so unüberlegt gekauft wie die meisten Teppiche. Ausschlaggebend sind vor allem eine bestimmte Größe, eine vage Farbvorstellung und die von den Europäern so hoch geschätzte Strapazierfähigkeit.
Kein alter Teppich wurde für die Schuhe eines Europäers geknüpft. Man betrat ihn mit einem leichten Hausschuh oder auf Socken, die angeblich den Teppichen bei längerer Benutzung ihren unvergleichlichen Glanz verleihen. Was für die fest geknüpften Teppiche des Vorderen Orients gilt, trifft in weit höherem Maße für alte asiatische Teppiche zu. Nur die neueren chinesischen Teppiche sind der Beanspruchung gewachsen, die wir, meist unbewußt, einem Teppich abfordern. Das bedeutet nicht, daß diese Teppiche nur Schauobjekte sind. Doch wäre es falsch, sie in die Gruppe der Gebrauchsteppiche einzuordnen und sie in Räume zu legen, in denen sie einer ständigen Beanspruchung ausgesetzt sind. Gerade in letzter Zeit werden sehr großformatige chinesische Teppiche relativ preiswert angeboten. Man sieht sie in

Hotelhallen und Ladengeschäften und unter den Tischen von Speiselokalen, wo sie von den Stühlen langsam in ihre Bestandteile zerlegt werden. Chinesische Teppiche sollten dort liegen, wo Ruhe gesucht wird und wo sie in ihrer oft sparsamen Zeichnung Ruhe vermitteln können, in einer Bibliothek, in einem Musikzimmer oder einem Schlafraum.

Wer sich zum Kauf eines chinesischen Teppichs entschließt – hier sei der Sammler ausgeklammert –, fällt damit für den Raum, in dem der Teppich liegen soll, ein Grundsatzurteil. Orientalische Teppiche lassen sich, zumindest in begrenztem Rahmen, miteinander vereinigen; auch da sollte auf nachbarschaftliche Provenienzen geachtet werden. Der chinesische Teppich erhebt fast einen Ausschließlichkeitsanspruch, die Möglichkeiten, ihn mit anderen Teppichen zu kombinieren, sind eng begrenzt; sie enden im Höchstfalle bei den Teppichen Ostturkestans und Samarkands. Ausschlaggebend ist dabei aber die Musterung des chinesischen Stückes. Ein hellgrundiger Teppich mit zartem Blumenmuster würde von einem Samarkand in kräftigem Rot und Blau erschlagen werden. Begeistert man sich für einen chinesischen Teppich, sollte man ihm zumindest in dem Raum, in dem er liegt, nur Ergänzungen hinzufügen, die gleichen Ursprungs sind, und man sollte diese Vorsicht auf die angrenzenden Räume ausdehnen. Die heutige Raumgestaltung liebt zwar die Kontraste, bei Teppichen sollte man sie vermeiden. Der Behauptung, orientalische und asiatische Teppiche passen zu allen Möbelstilen, muß hier widersprochen werden. Der dem sogenannten rustikalen Stil verhaftete Möbelhandel liebt es zwar, seine Schaufenster zusätzlich mit orientalischen und auch tibetischen Teppichen auszustatten, doch kann diese Kombination nicht als glücklich bezeichnet werden. Keinesfalls soll hier die Forderung gestellt werden, daß chinesische und tibetische Teppiche eine asiatische Umgebung verlangen. Chinesische Teppiche sind in viele Stile integrierbar, sofern man ihnen ihre Eigenwirkung beläßt. Vorzüglich ergänzen sie Mahagonimöbel oder solche in farbiger Fassung. Ebenso eignen sie sich für streng modern gestaltete Räume, deren Linie sie mit einer klassischen Mäanderbordüre unterstreichen oder mit einem

Blütenmuster auflockern können. Einige Dekorationsstücke chinesischer Herkunft werden die Wirkung eines asiatischen Teppichs immer erhöhen.
Bleibt nach diesen Überlegungen noch immer die Bereitschaft zum Kauf eines Chinesen bestehen, so sollte erst einmal das Angebot des Handels gesichtet und verglichen werden. Mancher Impulsivkauf wurde rasch bereut, nachdem nachträglich Vergleiche angestellt wurden. Wer einen alten Teppich sucht, sollte mit dem besten Geschäft beginnen, das sich bietet, vor allem dann, wenn es ihm an Fachkenntnis und Erfahrung fehlt. Man sollte sich an dem sogenannten teuren Eindruck dieses Geschäftes nicht stören und die Schwellenangst überwinden. Gerade der Nichtkenner ist in diesem Unternehmen in besten Händen. Da man auf den Ruf bedacht sein muß, wird man ein faires Preisangebot machen und vor allem hinter den gemachten Qualitäts- und Altersangaben stehen. Die Auskünfte, die man als Interessent erhält, werden von geschultem Fachpersonal gegeben, und niemand wird es einem verübeln, wenn man sich nicht binnen Minuten zu einem Kauf entschließt. Weiter sind diese Fachgeschäfte immer gewillt, eine Auswahlkollektion in die Wohnung zu senden, denn die eigentliche Wirkung kann ein Teppich erst dort entfalten, wo er seinen Platz finden soll. Unter den Strahlern eines Teppichgeschäftes kann ein dunkelblauer chinesischer Teppich eine hinreißende Wirkung vermitteln. In einem relativ dunklen Raum mit wenig Tageslicht wird er nicht mehr als ein schwarzer Bodenbelag sein. Grundsätzlich sollte ein Teppich, zumindest ein großformatiger, erst dann gekauft werden, wenn er an seinem Platz liegt. Kleinformatige Stücke verlocken oft zu einer raschen Entscheidung, doch auch bei ihnen ist Vorsicht geboten, wenn sie vorhandene Teppiche ergänzen sollen. Nicht immer ist die Erinnerung an die Farben des vorhandenen Teppichs so deutlich, wie man annimmt. Gegen die Hinterlegung eines Schecks wird man den Teppich zur Ansicht erhalten, wobei aber auf dem Hinterlegungsschein vermerkt sein sollte, daß keine Kaufverpflichtung besteht.
Bevor man dem Kauf nähertritt, sollte man sich doch ein wenig mit der Literatur vertraut machen, um in ungefähr zu wissen, was man

überhaupt will. Ein mitgeführtes Teppichbuch macht es dem Verkäufer leichter, ein gezieltes Angebot zu unterbreiten. Der Spezialhandel wird selbst die notwendigen Hinweise über Knüpfart und Dichte geben. Doch auch da schaden Vorkenntnisse nichts; sie werden den Verkäufer zu Ehrlichkeit anspornen. Je tiefer man in die Materie eindringt, desto interessanter wird der erste Kauf, der durchaus nicht, wie so oft behauptet, ein Fehlkauf sein muß. Oberstes Prinzip sollte es sein, sich Zeit zu lassen, denn ein Teppich ist ein Stück, das einen bei guter Pflege ein Leben lang erfreuen und begleiten kann.
Jede Sammlung beginnt mit einem ersten Stück; das gilt auch für chinesische und tibetische Teppiche. Oft erwächst aus der Begeisterung für das erste erworbene Stück der Drang, das Wissen auszuweiten und in die Praxis umzusetzen, was bedeutet, weitere Teppiche zu erwerben. Sicher ist das Sammeln asiatischer Teppiche kein billiges Vergnügen, dafür aber eine gesicherte Wertanlage. Die weit verbreitete und vom Handel geschürte Meinung, daß jedwede Kunst, also auch die Teppiche, sich in einem totalen Ausverkauf befindet, wird vom Handel selbst widerlegt, der immer wieder neu erworbene alte Stücke anbietet. Auch die Kunstwerke unterliegen einem gewissen Kreislauf, der sie eines Tages wieder auf den Markt bringt. Sammlungen werden aufgelöst, der eine Sammler veräußert ein für ihn weniger gutes Stück, und der internationale Kreislauf von Kunstwerken bringt immer wieder Neues auf den Markt. Für einen Sammler, der am Anfang steht, ist es viel wichtiger, sich erst einmal mit den Möglichkeiten, die sich ihm bieten, vertraut zu machen. Mit den Möglichkeiten sind die finanziellen gemeint und die räumlichen, die sich anbieten. Das Leben in relativ kleinen Behausungen stellt den Teppichsammler vor Schwierigkeiten. Sicher kann man Teppiche auch in Truhen und Schränken sammeln; doch entspricht das wenig ihrem eigentlichen Zweck. Obendrein bekommt es ihnen nicht, gefaltet oder gerollt über längere Zeit hinweg aufbewahrt zu werden. Es entstehen Bruchfalten, und der Flor wird seine eigentliche Knüpfrichtung verlieren. Aber gerade unter den chinesischen und tibetischen Teppichen finden sich viele Knüpfarbeiten, die sich vorzüg-

lich als Wandschmuck eignen, wobei sie bestens bewahrt werden. Satteldecken können ein schönes Sammelgebiet abgeben; sie bewegen sich auch preislich in erschwinglichen Grenzen. Jede Sammlung sollte sich auf eine spezielle Teppichart begrenzen, und der Sammler sollte weit mehr eine Vollkommenheit im Kleinen anstreben, als eine Auswahl aus einer Fülle, die er nicht bewältigen kann.

Die Möglichkeiten des Gebrauchs chinesischer Teppiche wurden bereits eingangs behandelt. Vor allem sei davor gewarnt, jene Teppiche, die ursprünglich nicht für die Bodenbenutzung geknüpft wurden, als solche zu benutzen; die Freude an ihnen wird nicht lange währen. Bodenteppiche sollten öfter einmal umgedreht werden – womit die Richtung der Lage gemeint ist –, um nicht an bestimmten Stellen stärker abgetreten zu werden. Wandteppiche üben einen starken Reiz auf Motten aus; sie sollten nach einer fachmännischen Reinigung mit einem Dauerschutz versehen werden, was eine genaue Kontrolle auf Schäden von Zeit zu Zeit aber nicht ausschließen sollte. Teppiche mit Pflanzenfarben sind lichtempfindlich; ständige Sonnenbestrahlung läßt sie verblassen. Es entsteht ein Schaden, der nicht mehr reparabel ist.

Die modernen Hausfrauen und ihre Hilfen, allen voran die deutschen, sind von einem Reinlichkeitswahn besessen, der sich vor allem in der täglichen Benutzung des in keinem Haushalt fehlenden Staubsaugers ausdrückt. Auch der beste Sauger ist bei täglicher Benutzung der sichere Todesbringer eines handgeknüpften Teppichs; er schadet weit mehr, als Schuhe mit Gummisohlen. Das gilt insbesondere für chinesische und tibetische Teppiche, deren lockere Knoten förmlich herausgesaugt werden im täglichen Einsatz. Diese Teppiche sollten nur mit der guten alten Teppichmaschine, die obendrein Energie spart, behandelt werden. Sie genügt zur Abnahme des Oberflächenschmutzes. Ein zusätzliches Ausschütteln von Zeit zu Zeit löst die Schmutzteile in den Geweben und lockert den Flor auf. Gefährdet sind vor allem bei den chinesischen Teppichen die Ränder, deren oft sehr kurzer Kelim sich leicht auflöst. Was mit einem abgerissenen Schußfaden beginnt, führt in Kürze zur Auflösung der ersten Knüpfreihen, denen bald weitere folgen. Um diesem Verschleiß vorzubeugen, ist es ratsam, die Teppichränder gleich nach dem Kauf mit einer Teppicheinfaßborte zu unterlegen, wobei Kleben zwar einfacher ist, ein Vernähen aber besser, denn es ermöglicht die Lösung der Borte, falls eine Reparatur notwendig wird. Mit einer geklebten Borte werden meist einige Knoten herausgerissen. Jeder Teppich bekommt einmal eine Stelle, an der sich einige Knoten gelockert haben, oder der Rand ist abgetreten. Leider wird in den meisten Haushalten nichts soweit hinausgeschoben wie eine Teppichreparatur. Im Höchstfalle wird sie im Do-it-yourself-Verfahren vollzogen, was selten ein Erfolg von Dauer ist. Beschädigte Teppiche sollten in die Hand des Fachmannes und das, sobald sich ein Schaden zeigt. Je kleiner die Reparatur, desto preiswerter wird sie sein, abgesehen davon, daß damit der Wert des Teppichs erhalten wird. In der Werkstatt sollte man sich aber erst einmal andere Reparaturen ansehen und bei größeren Schäden einen schriftlichen Voranschlag einholen. Gut beraten ist man stets in einem Fachgeschäft, das entweder die Reparatur selbst vornimmt oder einen fachkundigen Knüpfer empfiehlt.

Chinesische und tibetische Teppiche sind nicht so widerstandsfähig wie mancher persische Teppich. An einem ihnen gemäßen Platz und mit entsprechender Pflege stehen sie aber den vorderorientalischen in der Haltbarkeit wenig nach. Obwohl sie oft sehr hellgrundig sind, nehmen sie kaum Schmutz an, bedingt durch den hohen Fettgehalt, der die Wolle konserviert. Dieser Fettgehalt sollte erhalten bleiben und nicht durch die weit verbreitete Schaumreinigung abgebaut werden. Schönheit, mit der der Mensch sich umgibt, erfordert immer einen gewissen Tribut und eine Achtung, die wir auch den Kunstwerken einräumen sollten, die wir mit Füßen treten.

Literaturverzeichnis

Arthur, Leo: Chinesische Teppichvorlagen, Wien und Leipzig 1926
Bidder, Hans: Teppiche aus Ost-Turkestan, Tübingen 1964
Denwood, Ph.: The Tibetan Carpet, Warminster 1974
Eiland, Murray L.: Chinese and Exotic Rugs, London 1979
Ellis, Charles Grant: Chinese Rugs in Katalog »East of Turkestan«, Washington D.C. 1967
Grote-Hasenbalg, Werner: Der Orientteppich, seine Geschichte und Kultur, Berlin 1922
Hackmack, Adolf: Der chinesische Teppich, Hamburg 1926
Haskins, John F.: Imperial Carpets from Peking, Durham N. C. 1973
Kümmel, O.: Die Kunst Chinas und Japans, Wildpark-Potsdam 1929
Larkin, T. J.: A Collection of Antique Chinese Rugs, London 1910
Lorentz, H. J.: A view on Chinese Carpets, London 1972
Martin, F. R.: A History of Oriental Carpets before 1800, Wien 1908
Martin, Heinz E. R.: Die Kunst Tibets, München 1977
Martin, Heinz E. R.: Orientteppiche, München 1981
Orendi, J.: Das Gesamtwissen über antike und neue Teppiche des Orients, Wien 1930
Schlosser, Ignaz: Der schöne Teppich in Orient und Okzident, München 1960
Speiser, W.: Die Kunst Ostasiens, Berlin 1946
Stein, Sir M. Aurel: Ancient Khotan, Oxford 1907
Tiffany Studios: Antique Chinese Rugs, New York 1969

Register